勘破西游

典藏版

第一部 万般缘起

叶之秋 著

中国发展出版社
CHINA DEVELOPMENT PRESS

图书在版编目（CIP）数据

勘破西游．第一部／叶之秋著．—北京：中国发展出版社，2022.1（2025.4 重印）

ISBN 978-7-5177-1262-6

Ⅰ.①勘…　Ⅱ.①叶…　Ⅲ.①《西游记》研究　Ⅳ.①I207.414

中国版本图书馆 CIP 数据核字（2021）第 231904 号

书　　　名：勘破西游（第一部）
著作责任者：叶之秋
责 任 编 辑：钟紫君　吴　思
出 版 发 行：中国发展出版社
联 系 地 址：北京经济技术开发区荣华中路 22 号亦城财富中心 1 号楼 8 层（100176）
标 准 书 号：ISBN 978-7-5177-1262-6
经　销　者：各地新华书店
印　刷　者：北京博海升彩色印刷有限公司
开　　　本：880mm×1230mm　1/32
印　　　张：8
字　　　数：180 千字
版　　　次：2022 年 1 月第 1 版
印　　　次：2025 年 4 月第 3 次印刷
定　　　价：29.80 元

联 系 电 话：（010）68990535　68360970
购 书 热 线：（010）68990682　68990686
网 络 订 购：http：//zgfzcbs.tmall.com
网 购 电 话：（010）68990639　88333349
本 社 网 址：http：//www.develpress.com
电 子 邮 件：174912863@qq.com

序　言

八十一难皆是局，降妖伏魔一场戏

《西游记》与《三国演义》《水浒传》故事题材不同，然其根源一致，甚至与《红楼梦》也是殊途同归。

《三国演义》讲的是王侯将相，江山霸业；《水浒传》说的是绿林豪杰，江湖风雨；《红楼梦》写的则是公子小姐，家族兴衰……

有人的世界就有江湖，有江湖的地方就难免有纷争。历史如此，武侠如此，家族如此，仙幻世界也如此。

《西游记》所写的不仅是降妖伏魔、打怪升级，其故事展现的，更是以唐僧、孙悟空师徒为代表的三界仙佛妖鬼斗智斗勇的故事。

“斗智斗勇”中，“勇”很好理解。在许多读者印象中，孙悟空就是胆大无畏的象征，金箍棒在手的孙悟空，敢与天庭叫板，敢争玉帝宝座。

那么，这“智”体现在何处？

《西游记》中的“智”，不在于孙悟空如何捉拿妖怪，不在于唐僧如何逃过劫难。因为“八十一难皆是局，降妖伏魔一场戏”，所谓取经的种种磨难，本就是仙佛高层安排好的一场戏，孙悟空也好，唐僧也好，甚至大多数下界作乱的妖魔，其实都是拿着剧本，遵照导演的意图演戏而已。

为何这么说呢？

取经路上，为何众多妖魔抓到唐僧总是不吃？孙悟空大闹天宫横扫天庭群仙，为何取经时被许多妖魔打得狼狈？为何孙悟空明明能打败妖王，却偏要去求神拜佛，找寻妖魔主人？为何每当孙悟空挥起金箍棒时，定有仙佛高喊“大圣住手”？

这些事情若仅是偶然出现一次，可以说是意外；但若经常出现，其中必然内藏玄机。

作为名著，作为一部经历数百年大浪淘沙的经典作品，最大的特点就是经得起揣摩。不但语言精湛、表意精准，而且构架宏伟、情节巧妙、人物性格复杂多变。

此前多年，研究《红楼梦》《三国演义》者多，然而，肯耐下心来揣摩《西游记》的人少。

老叶喜欢《西游记》，喜欢《封神演义》，对中国神话十分痴迷。正是怀着一份爱慕与敬仰之心，老叶一而再、再而三地品读《西游记》，争取“勘破西游”。

在老叶的解读中，孙悟空不仅心高气傲，疾恶如仇，而且胆大包天，敢与玉帝叫板，他还狡猾多智，聪明诡谲，在一波又一波的降妖故事中迅速成长。取经八十一难，不单单是唐僧经历的种种磨难，更是孙悟空从幼稚莽撞到逐渐成长，学会借力打力，学会左右逢源，变得成熟、变得强大的人生历程。

唐僧也不仅是一心向佛，他在佛心坚定之余，也会有胆怯、有懦弱，甚至有古板、有迂腐、有尖酸刻薄、有刻意偏袒。

猪八戒与孙悟空之间既有相扶相持的融洽时光，更有钩心斗角、小肚鸡肠的种种矛盾。猪八戒拥有的，不仅仅是可爱，不仅仅是蠢萌，还有既凶残暴戾又伟岸高大的一面。

沙僧也不再是那个只知道高喊“大师兄，妖怪把师父抓走了”的路人甲。《西游记》原著中的沙僧，乃是玉皇大帝身边的禁军大将，心机深沉，城府如海。若单论智谋，他足以在唐僧师徒中排名第一。

“八十一难皆是局，降妖伏魔一场戏”，西游取经故事中，到底有哪些迷局？在种种迷局中，孙悟空、唐僧、观音菩萨、如来佛祖、太上老君等，各自又扮演了怎样的角色呢？

看完本书，相信您都会找到满意的答案。

叶之秋

2021 年 10 月 25 日

目　录

第一节　石猴化形

《西游记》是中国古代四大名著之一。这部小说之所以能够名列四大名著，最主要的原因是它博大精深，可以从各方面解读，经得起反复推敲。

整部《西游记》真正的主人公是孙悟空。了解孙悟空，是解读《西游记》的一把钥匙。而要解读《西游记》、了解孙悟空，就必须把握两个基本原则。

一是以《西游记》原著作为解读的根本。

《西游记》中的无数神仙，多数都有现实来源，但是作者吴承恩对这些仙佛进行了大规模改造，早已似是而非。可以说，西游世界的仙佛，绝不能简单等同于现实世界中的神佛，更不能把其他图书中的人物放到西游故事中来。

二是《西游记》绝非儿童小说，也非简单的打怪升级，它的现实意义、批判锋芒在明代四大奇书中首屈一指。

要介绍人物，首先要说明出身来历。那么，一个问题来了：孙悟空真的是从石头里蹦出来的吗？

拜师的时候、取经路上遇上妖魔，孙悟空都会自报家门，把过往经历简单叙述一遍。他常常提到他的神奇出身，乃是天地所生的一个石猴。

石头里还能孕育生命，而且是生出一个极为聪颖的猴头？

这一切仿佛不可思议，其实，冥冥中自有实现这一切的可能。

全书开卷之初，叙述了一番天地生成、孕育万物的经历，然后就提到了花果山。

在不少读者的心中，花果山不就是一座猴山吗？没有什么奇特的。其实不然。

书中有交代：“此山乃十洲之祖脉、三岛之来龙，自开清浊而立，鸿蒙判后而成。”*

这花果山来历竟然如此大！在天地初开时，花果山就已经存在，并且，花果山乃人间地脉之祖。天下陆地，都是从此延伸。

在花果山中，不但有各类灵猴，还有“丹崖上，彩凤双鸣；削壁前，麒麟独卧。峰头时听锦鸡鸣，石窟每观龙出入。林中有寿鹿仙狐，树上有灵禽玄鹤。瑶草奇花不谢，青松翠柏长春。仙桃常结果，修竹每留云。一条涧壑藤萝密，四面原堤草色新”。

用时下修仙小说的说法，花果山灵气浓郁，堪称人界第一。不少灵禽异兽已开灵智。在孙悟空大闹天宫时，也提到花果山中有数万妖兵，有七十二洞妖王。

书中总结花果山的神奇，叫作“百川会处擎天柱，万劫无移大地根”。

既然各种禽兽乃至花草都可以修仙得道，一块从开天辟地以来

---

* 文中引用的《西游记》原文，参见人民文学出版社 1955 年第 1 版、2010 年第 3 版《西游记》。全书同。

就存在的石头，为何不能进入化形期，开始它的修仙之旅呢？

并且，孙悟空出身的那块灵石并非普通石头，而是千山万峰间一块极为罕见的奇石。

石头能修仙，不仅仅需要漫长岁月吸收天地精华，更需要有能够吸收灵气的先决条件。

书中写道："其石有三丈六尺五寸高，有二丈四尺围圆。三丈六尺五寸高，按周天三百六十五度；二丈四尺围圆，按政历二十四气。上有九窍八孔，按九宫八卦。四面更无树木遮阴，左右倒有芝兰相衬。"

这奇怪石头竟然仿佛生命体一般，高、宽都遵循天地大道。石上更有窍孔，可以模拟人类呼吸。没有树木遮蔽，可以直接吸收天地精华。

因为达到如此繁多的苛刻条件，这块石头才能孕育生命，才能生出孙悟空。

那么，这一切都是造化生成，没有人为？

当然不是。为何亿万年以来，唯有孙悟空从石头里蹦了出来，其他的石头根本没有生命气息呢？

这是因为许多年前，有一位大神通者对花果山上一块灵气最浓郁的石头进行了加工，使其高、宽符合天道，为其开窍，让它可以吸收天地精华。

何以见得呢？

花果山中确实曾经住着一位大神通仙人。

这位仙人究竟是谁？

第二节　水帘洞主

孙悟空出世后，曾经有一段天真烂漫的生活。之后，他第一个跳入水帘洞，发现了里面另有天地。

书中虽然说这间洞府是“天造地设”，其实，人为加工的痕迹相当明显。

首先，在进入洞府前，有一块石碑，上面用楷书书写了十个大字，叫作“花果山福地，水帘洞洞天”。天地造化再怎么巧妙，也不可能在石碑上形成这十个构造复杂、逻辑严密的文字。

经过一座铁板桥，进入洞府，里面有石锅石灶、石碗石盆、石床石凳。很明显，必定有其他修仙者在洞中生活过。

那么，水帘洞的真正主人究竟是谁呢？

有这样几种说法，流传颇广。

一是女娲说。

不少读者印象中，孕育孙悟空的那块石头是当初女娲炼石补天剩余的那一块。既然石头是女娲遗留，那女娲自然是水帘洞洞主。

其实，这个印象是错误的。

在《西游记》原著中，根本没有提到孙悟空是女娲遗石一事。

关于石头来历，书中这么写：“盖自开辟以来，每受天真地秀，日精月华，感之既久，遂有灵通之意。”

也就是说，这块石头是天地开辟以来就已经存在，是花果山本土石头，并非女娲遗石。

二是如来佛说。

支持这个观点的朋友，主要是觉得如来是菩提祖师，是他策划了整场取经行动，借此机会把佛派势力东扩。

这个看法貌似有理，但依然有不通之处。

看洞府碑文“花果山福地，水帘洞洞天”，明显是道家言辞。更重要的是，如来乃在西方（西牛贺洲——不能简单等同现实的印度）得道成佛。东胜神洲乃是东方崇恩圣帝的地盘，向来崇奉道法。两家风马牛不相及。

至于菩提祖师是谁，容我先卖个关子。

三是东海龙王说。

孙悟空修仙大成，回到花果山后，曾到龙宫取宝。书中提到，水帘洞外铁板桥下有一条暗河，直接通往东海龙宫。于是，有人提出，东海龙王当是水帘洞前任洞主。

书中写孙悟空来到东海，遇上巡海夜叉。夜叉拦住盘问：“那推水来的，是何神圣？说个明白，好通报迎接。”从此话可以推知，巡海夜叉并不知道水帘洞可以直通东海。之后孙悟空自报家门，说自己是花果山天生圣人孙悟空，是东海龙王的邻居。夜叉听孙悟空自称“天生圣人”，连忙回禀。龙王一听，立刻率领虾兵蟹将迎接。

这就有点奇怪了。按照常理，一个陌生人来到东海，自封圣人，东海龙王本当大怒，派人惩罚一二才对。龙王却没有，他不但以礼相待，还亲自迎接，口中称呼：“上仙，请进请进！”

其实，东海龙王早就知道水帘洞可以直通东海，但这属于高度机密。巡海夜叉虽是龙宫大将，但还不到知道这个机密的级别。

此刻，东海龙王并未见到孙悟空的本领，但依然恭敬相待，为什么？东海龙王好说话？根本不是。只因东海龙王知道“花果山天生圣人”这几个字拥有特别的含义。

我的猜测是：当初那位水帘洞洞主曾经由那条密道来到东海，展示了莫大法力，让东海龙王完全臣服。或者，东海龙王本就是水帘洞真正洞主的下属，他早就被告知，有一天，下一任水帘洞洞主会来，你要好好接待。

那么，水帘洞的真正主人是谁呢？

我以为，非太上老君莫属。

在《西游记》的世界，太上老君是三界第一仙。别提鸿钧祖师，更别提什么创世元灵，那都和《西游记》无关。《西游记》中明确提到，天地人三界中，最高的仙就是天仙，达到天仙级别的分别是三清、四帝、五老。

这三清之中，号称道祖的，就是太上老君。

西游原著中说，太上老君是先天地而生，在鸿蒙初开前就已经得道。

太上老君在人间的修炼地极有可能就是灵气最为充裕的花果山水帘洞。不知道多少年前，太上老君回到昔日洞府，回到花果山。他用莫大神通寻找到一块奇石，将其雕琢炼化，直到可以自行吸收天地灵气才悄悄离开。

或许，他曾经从密道来到东海，秘密嘱托东海龙王，好好看守

“定海神针”，等候有缘人到来时，再把神针相送。

书中提到，定海神针放在东海已经无数岁月，可是，从没有任何独特之处。等到孙悟空到来时，它却放出万道霞光。

很明显，这定海神针是一件通灵之宝，它在等待有缘人。而孙悟空正是有缘人。

正因为天下第一仙太上老君早有交代，孙悟空来取宝时，东海龙王才大方地拿出许多珍宝让孙悟空挑选。而孙悟空取了金箍棒后，东海龙王还召唤其他三大龙王，分别献上最佳装备。

那么，太上老君为何要制造出孙悟空，他究竟有什么目的？

第三节　老君化胡

表面看来，孙悟空大闹天宫是自发行动。其实，孙悟空就如同一个傀儡，他的主要言行，都被傀儡师操纵。只是，这个傀儡师太聪明了，聪明到连孙悟空都完全没意识到自己是一个傀儡。

孙悟空在按照傀儡师的布局，一步步走向天庭的对立面。

这个傀儡师，就是太上老君。

太上老君为何要与以玉皇大帝为首的天庭作对呢？《西游记》不是写玉皇大帝和如来的争斗吗？

在不少读者印象中，《西游记》中的神仙势力主要可以分为道派和佛派，于是，他们把这本书的最终背景定义为如来佛为佛派东扩而策划了一场取经行动。其实，这个理解不够准确，不够深刻。

原著，明确点出，玉皇大帝乃是三界之主。孙悟空大闹天宫时，玉皇大帝是下诏传唤如来降妖。如来自己也说，是奉大天尊之命前来。

在分析西游世界的神仙等级时，我们也提到，如来、观音虽然同是天仙级别，却是三清、四御（帝）之下的五老。

也就是说，玉皇大帝代表的道派一统三界，佛派势力仅仅是人间（下界）的五大地方势力之一，根本无力和以玉皇大帝为代表的天庭分庭抗礼。

在道家的一统世界中，为何会冒出一个佛派势力呢？

别说乔达摩·悉达多在菩提树下证道，最后开创了佛教。那是现实中的佛教，和西游世界的佛派是两码事。

西游世界的佛派创始人不是如来，也不是燃灯上古佛，而是太上老君。

或许读者会说：胡扯！佛派怎么会是太上老君创立的呢？书中有这样一个情节。二郎神和孙悟空斗得难解难分。观音菩萨要用玉净瓶去砸孙悟空。太上老君阻止说："你这瓶是个瓷器，准打着他便好；如打不着他的头，或撞着他的铁棒，却不打碎了？"观音的玉净瓶当然不是瓷器，太上老君如此嘲讽，只是为了引出下面的言行。

他拿出金刚琢，介绍说："当年过函关，化胡为佛，甚是亏他。"

什么是"化胡为佛"？历史上，道教强大兴盛后想要融合佛教，于是说佛教是老子出关后点化而成。在西游世界中，佛派乃太上老君创立。

太上老君面对佛派高层观音，看似无意其实有意地点明了自己佛派始祖的身份。

太上老君为什么要告诉观音？观音与如来的关系如何？这两个问题我以后再回答。

继续探讨佛派来历的问题。太上老君为何要创建佛派势力？

西游神仙世界中，最高等级是天仙，天仙中势力最强的是八大天尊——三清、玉皇、四帝。八天尊中，实力最强的是号称开天辟地之祖的太上老君。

可是，有一个很奇怪的现象。为啥实力最强，而且是整个道派祖师爷的太上老君不是神仙世界的执政者？并且，在三清排名中，太上老君（道德天尊）竟然排名第三？

只因，太上老君的两个师弟的实力虽然弱一些，但是和玉皇大帝联手后，足以对抗太上老君。

亿万年前，在仙界霸权争夺战中，太上老君惨痛落败，不但没有成为天帝，而且在三清中沦为垫底。太上老君自然不服，他要颠覆当下这个充满了背叛与冷漠的天庭。

为此，太上老君苦心谋划。在数万年前，太上老君来到凡间，化身另外一个人，骑着青牛，神不知鬼不觉地前往西方。

到了西牛贺洲后，太上老君招收门徒，扩充实力。他传授给弟子的，是完全不同于道派法术的另一种法术。这是他独创的另一门秘术。玉皇大帝以及其他仙人全不知晓。这门秘术，叫作佛法。

在教授完第一批信徒之后，太上老君悄然回到天界。他指定的继承人，是燃灯上古佛。

在《西游记》中，几次提到太上老君和燃灯佛相会。表面上是大家说法，其实，是燃灯佛来接受太上老君指示。

只是，人算不如天算。即便是太上老君，也很难掌控一切。

将太上老君谋划数万年计划破坏的人，叫作如来。

如来是佛派晚辈，修炼到天仙级别的时间并不长。但是，他手上有一大批得力干将，比如观音、普贤、文殊等。在这些人的支持下，如来成为佛派的主事人。

燃灯佛依然是佛派第一长老，但已经退居二线，对佛派的掌控力已经大大减弱。

燃灯为了夺回主事权，只能和师父太上老君继续合作。太上老君面对失去控制的佛派势力，也只能重新布局，再做打算。

太上老君的第二次布局，是制造出了孙悟空，并且，一步步将孙悟空变成插入天庭和佛派的一柄利剑。

那么，太上老君是如何暗中操纵孙悟空，策划大闹天宫的呢？

第四节　通背牵线

孕育孙悟空的那块奇石，并非纯粹天然，有明显人为加工痕迹。加工者就是水帘洞真正的主人太上老君。对于这个由亿万年前背叛者联盟组建的现任天庭，太上老君无时无刻不想着颠覆。孙悟空，就是太上老君第二次反天计划的重要棋子。

一个高明的棋手，不仅仅要看到眼前一两步的得失，更要看到百步、千步之后的利害。太上老君就是这样一个大师级棋圣。

但是，如何让孙悟空这枚棋子不知不觉为自己所用，并且让天下人尤其是天庭高层，都不怀疑到他身上，太上老君煞费苦心。

太上老君暗中为孙悟空做了许多事。这许多事情看似隐秘，其实就是一层窗户纸。下面就让我来为大家一一戳破。

为了让刚刚出世的孙悟空有一个安身立命之地，太上老君留下了他的洞府——水帘洞。

花果山并非人迹罕至的荒山，猴群嬉戏的山涧也不是什么隐秘之地。文中提到，单单成精猴妖就有四万七千只，还有七十二洞妖王。而已经开通人智的妖怪，少说也有几十万个。为何亿万年过去，就没有一只猴一个妖发现水帘洞呢？

我的理解是，水帘洞外的那瀑布，根本不是寻常瀑布。太上老君在其上应该施展了特殊结界。唯独拥有天灵血脉的孙悟空才能破解——孙悟空介绍自己时总是自称“天生圣人”，天庭神仙介绍孙悟空则叫“天生石猴”。这天地孕育出的仙灵，必定有其非同凡响之处。

并且，孙悟空进入水帘洞并非偶然，有人（猴）刻意引导。我们看原文：

“众猴都道：‘这股水不知是那里的水。我们今日赶闲无事，顺涧边往上溜头寻看源流，耍子去耶！’……众猴拍手称扬道：‘好水！好水！原来此处远通山脚之下，直接大海之波。’又道：‘那一个有本事的，钻进去寻个源头出来，不伤身体者，我等即拜他为王。’”

几处说话的（主语）都是“众猴”。

整件事看似叙述通顺，但我们细细品味，就可以发现，有两处说话的（主语）应当是某一只猴。第一处，当是某一只猴子提议追寻水源，然后群猴响应。第二处，应当是某一只猴子提议，钻入瀑布寻到源头者，拜他为王。

吴承恩为什么这么写？当然不是笔误。而是要帮忙遮掩人为引导孙悟空的痕迹。单看这一处，或许大家会觉得牵强，耐心一些，继续看下去。

孙悟空进入水帘洞后，完全没有多想，把一切当成“天造地设”，安心住了下来。

此后的日子，孙悟空过得很快乐，用书中话叫作“美猴王享乐天真，何期有三五百载”。一晃，三百多年过去。

有一天，奇怪的事情发生了，孙悟空忽然唉声叹气，掉下眼泪。群猴笑大王不知足。如今他们身在古洞神州，不伏麒麟辖，不伏凤凰管，自由自在，又有什么烦恼呢？孙悟空慨叹，不得长生，终究难逃一死。

就在此时，一只通背猿猴跳了出来，厉声高叫道：“大王若是这般远虑，真所谓道心开发也！”

这只通背猿猴很不寻常。群猴都满足于天真自由生活，唯有这通背猿猴，竟然开口论起道心来。花果山虽然灵气充裕，但群猴懵懂，不过是比人间猴子开通了灵智，寿命长些罢了。千万年来，并无一只猴子修习仙法。这个通背猿猴怎么知道修仙界的隐秘呢？

通背猿猴介绍的话也颇有问题。

他说，如今有三等人，可以不生不灭，躲过轮回，即佛、仙与神圣。为何通背猿猴要把佛放在仙（道家）、神圣（儒家）前面呢？是不是想引导孙悟空前往佛门圣地西牛贺洲呢？

应该是如此。

后来，孙悟空问，到哪里才可以找到这三种人。通背猿猴回答：“他只在阎浮世界之中，古洞仙山之内。”什么叫作阎浮世界，在佛派话语中就是指南赡部洲（大唐就在这个大洲中），而古洞仙山，不就说的是西牛贺洲菩提祖师的灵台方寸山、斜月三星洞吗？

人界真的只有这两处有长生仙法吗？当然不是。要知道东胜神洲就有与如来、观音同样的天尊级天仙东方崇恩圣君存在。

通背猿猴的真实目的，就是通过这番话暗示孙悟空，穿过南赡部洲，前往西牛贺洲。

这个通背猿猴极有可能是太上老君的手下，此前高喊寻找水源、提议闯水帘洞的，或许也是他。

果然，孙悟空根本没有考虑在东胜神洲寻仙，而是直接南下。他在南赡部洲晃了八九年，竟然一个神仙都没遇上。

是这里真的没仙人吗？不对。二郎神的堂口在灌口，大圣国师王菩萨住在淮河，荡魔天尊住在武当山，观音菩萨住在南海普陀山——整个南赡部洲仙人多着呢！

孙悟空是怎么理解这个怪现象的呢？“见世人都是为名为利之徒，更无一个为身命者。”在他看来，南赡部洲人个个为名利奔忙，只顾着满足口腹之欲，根本不考虑阎王索命，没人寻求长生，自然就没有了仙人。

最可能的真相是，太上老君不想让孙悟空在南赡部洲拜师。

最终，孙悟空再度南下，渡海来到西牛贺洲。他也寻访了不少时间，直到遇上了一个神秘樵夫。

第五节　樵夫引路

一直觉得，西牛贺洲山林中那个指点孙悟空寻仙的樵夫是个高人。

樵夫高在何处?

他已经明悟了人生大道，甚至在不经意间，已经踏上了仙途。

人生在世，最难摆脱的是什么?

是对于功名利禄的渴求。

古今有多少人为了名利，尔虞我诈，巧取豪夺。有说不尽的帝王将相风云录，道不完的王侯公卿富贵梦。可是，一朝梦断，魂归离恨天，还能剩下什么?

所谓功名，所谓钱财，都是身外之物，如流水而来，似浮云而去。

樵夫呢?

“登崖过岭，持斧断枯藤。收来成一担，行歌市上，易米三升。

更无些子争竞，时价平平。不会机谋巧算，没荣辱，恬淡延生。”

樵夫的生活很平静，平静到如水一般。每天，他上山砍柴，从不多砍，永远一担。担到集市上，换三斤米，足够母子两人吃一天。

樵夫的生活中，没有买卖的争执，更没有权谋机心。

古时候有许多樵夫，那寻常樵夫会想啥呢？今天我要多砍一担，就可以多存三斤米，三五年下来，便可以攒点钱，摆个小摊做买卖，以后就不用天天砍柴那么辛苦了。我日日辛苦，每天攒钱，再过三五年，租个小店面。再过三五年……

可在指点孙悟空的这樵夫看来，即便最后过上骏马高阁、鸡鸭鱼肉的富贵生活那又如何？那时候身心俱疲，人生已老。还不如现今，除了最基本的生活，无欲无求，逍遥快活。

看穿世情，明白本心，樵夫已经领悟了欲求之道。

人生在世，最难舍弃的是什么？

是对家人、儿女的牵绊。

不过，那是对俗人，对老百姓而言。对于一个修仙者来说，家人、儿女的牵绊几乎可以忽略不计。

为什么呢？

仙人寿元悠长，动辄有数百上千年，甚至数万年，乃至永生不死，寿与天齐。于是，仙人注定了要和家人分离，家人只是其仙途中的匆匆过客。

一想到可以长生，多少人毫不犹豫地舍弃家人；一句天道无情，多少人挥剑斩情丝，舍弃亲情、爱情、友情，乃至一切的情。

多少人只是因有望长生，有望成仙，就已经冷漠无情，抛妻弃子。

樵夫呢？

三界奇人菩提祖师是他的邻居，且对樵夫极为看好，以至于亲自为其度曲《满庭芳》。可以说，只要樵夫开口，菩提祖师必定收他为徒。

可是，樵夫近水楼台不爱月，向阳花木不恋春。

樵夫告诉孙悟空："我一生命苦，自幼蒙父母养育至八九岁，才知人事，不幸父丧，母亲居孀。再无兄弟姊妹，只我一人，没奈何，早晚侍奉。如今母老，一发不敢抛离。却又田园荒芜，衣食不足，只得斫两束柴薪，挑向市廛之间，货几文钱，籴几升米，自炊自造，安排些茶饭，供养老母，所以不能修行。"

其实，并非樵夫不能修行，而是他在尽孝和修仙两者之间，选取了尽孝，舍弃了修仙。

修仙是为自己，尽孝是为母亲。在己与人之间，在索取和付出之间，樵夫选择了他人，选择了付出。

在人生价值的选择中，樵夫已经领悟了取舍之道。

孙悟空听了樵夫的叙述，也颇为感动，不过，他希望樵夫陪他同去寻访仙人，并且说："老兄，你便同我去去，若还得了好处，决不忘你指引之恩。"樵夫把菩提祖师的洞府所在详细告诉孙悟空，然后说："你这汉子，甚不通变。我方才这般与你说了，你还不省？假若我与你去了，却不误了我的生意？老母何人奉养？我要斫柴，你自去，自去。"

樵夫为何不陪孙悟空同去？

樵夫说“老母何人奉养”，意思是陪了孙悟空去，母亲就要没饭吃了，就会受饿了。这句话看似有理，其实纯粹是借口。

后文提到，三星洞距离樵夫说话的地方不过七八里路。以两人的脚程，就算山路再难走，顶多一个小时。耽搁一个小时砍柴，很可能会耽搁一小时卖柴，耽搁樵夫老母一个小时吃饭。但是，耽搁一个小时吃饭，老母亲就会饿死吗？樵夫是一个大孝子，本应当是一个大好人，其母也必定通情达理。若是因为帮人而耽搁吃饭，老母未必会责怪樵夫，甚至可能会赞赏樵夫。

总之，这都是樵夫的借口，根本原因是樵夫不想去三星洞门口。

为什么？

并非樵夫冷漠；若是冷漠，他就不会详细指点孙悟空。

樵夫明白，既然已经选择了尽孝，就等于放弃了仙途。既然自己做出了这个选择，就不要拖泥带水，三心二意。陪同孙悟空前去三星洞，这不就等于想要修仙？孙悟空说：“若还得了好处，决不忘你指引之恩。”樵夫连拜菩提为师都可以放弃，还会在乎小小石猴的一点回报？

既然做出了选择，那就坚定不移地走下去。没有彷徨，没有犹豫，樵夫已经领悟了信念之道。

在我看来，修仙即是修心。什么是仙？不像凡人一样日日忧愁、夜夜烦恼就是仙。

但凡是人，就有欲求；一有欲求，就有贪念。想念而不得，于是生烦恼。

如何才能没有烦恼？就要斩断欲求。之后菩提祖师为石猴取名“悟空”，不就是要让猴哥看透一切，不要有牵绊吗？

只是，即便太上，也只能忘情。

何谓忘情？

只因有情，所以需要忘情。樵夫舍弃口腹之欲，舍弃名利之心，却不愿意斩断最初的母子深情。

在我看来，菩提祖师自创《满庭芳》歌曲传授樵夫，就如随手创造“筋斗云”赐给孙悟空一样，都是他依据不同弟子的性情，开创的不同修仙大法。

换言之，樵夫每诵念一遍《满庭芳》就等于在修仙。

我想，其母归天，樵夫尽孝完毕之日，就是樵夫成仙得道之时。

樵夫能得道，多亏菩提祖师因材施教。对于菩提祖师是谁，一直争议很大。菩提祖师究竟是谁呢？

第六节　拜师菩提

西游世界有两大神秘高手，都是法力通天的天尊级甚至大天尊级高手。一个是菩提祖师，一个是乌巢禅师。

先说菩提祖师。

菩提祖师究竟是谁？有许多种猜测，我简单归纳如下。

一是准提道人说。

支持者认为《封神演义》中的准提道人出场诗歌和《西游记》菩提祖师出场诗歌一模一样，且多次到东土度化有缘人，对道家神通有一定了解。他是接引道人（如来）师弟，后来共同开创了西方教（佛派）。

《西游记》中的菩提祖师，道号“菩提”有浓重的佛家色彩，且他一身神通，兼容佛道。从此处看，准提道人就是菩提祖师。

那么，后来的佛派中为何没有了准提道人呢？因为他（准提、菩提）或者本性淡泊，或者与如来有矛盾，总之功成身退，隐居山林去了。

我认为，这个说法最不靠谱。《封神演义》与《西游记》是两本书。把《封神演义》中的人物套到西游故事中，这和关公战秦琼有什么分别？若两本书是同一人所写，那还说得过去。可作者一个是许仲琳（《封神演义》的作者是谁有争议，主流说法是许仲琳），一个是吴承恩。若是《封神演义》写在《西游记》之前，或许吴承恩会参考其中源流。但事实是，先有《西游记》，后有《封神演义》。

二是如来弟子说。

支持者认为，如来十大弟子中，有一人名字叫须菩提。既然是如来弟子，自然法力通天。他以佛祖弟子的身份，在西牛贺洲广招门徒，完全说得过去。

这个说法也不靠谱。除了两人名字相同，没有其他有力证据，而反面证据倒是不少。

菩提祖师既然叫祖师，必然是开宗立派的一代伟人，上面没有师父。《西游记》全书中称为“祖”的只有几个人，比如道祖太上老君、佛祖如来、地仙之祖镇元子等。而且原著中只有一处称呼他“须菩提”，多数时候叫“菩提祖师”，或者干脆简称“祖师”。

须菩提则从来没有被人称为祖师，他在佛派中地位并不高，只是修成了阿罗汉果。罗汉比菩萨级别低，在仙界天、地、神、人、鬼五个等级中等同神级仙人。这种级别的仙怎么可能教出与如来、观音同等级的天仙孙悟空？

三是如来说。

这种说法流传很广，在书中可以找到不少证据。

比如书中樵夫提到，菩提祖师门徒很多，如今门下还有三四十人跟随。孙悟空到山门前，看到三丈多高的石碑。从此可以看出，菩提祖师根本没有藏着掖着。敢如此在西天大张旗鼓抢“生源”的，唯有如来佛祖本人。

菩提祖师演说大道时说的是什么呢？“天花乱坠，地涌金莲。妙演三乘教……”后文中如来说法，“宣扬正果，讲的是三乘妙典……”两人说法如此相像，可见是同一人。

当孙悟空大闹天宫时，第一次见到如来。如来劝他趁早投降：“但恐遭了毒手，性命顷刻而休，可惜了你的本来面目！”所谓“本来面目”，就是来历出身。若非如来就是菩提，怎么可能知道孙悟空的出身来历呢？

孙悟空筋斗云再厉害，始终翻不出如来掌心，也可以证明如来就是菩提。筋斗云就是他独创的神通嘛！

总之，如来就是菩提祖师。

那么，如来为何要化身菩提教导孙悟空呢？如来要教出一个“造反派”，挑战天庭，然后他收拾残局，并开展佛派东扩计划。

应当说，如来是菩提的证据是比较多的。但是，以上这些推理是不是很严密呢？未必。

樵夫说菩提祖师门徒很多，“不计其数”，但是，孙悟空足迹几乎踏遍三界，可从没有遇上一位同门。为什么？因为门徒众多只是樵夫所说。

菩提祖师来到西牛贺洲传授功法，时间绝对不长。玉皇大帝对孙悟空的事情，一直很关注。从孙悟空出生到大闹天宫，千里眼、顺风耳这两位天庭特工首领都在关注着。在龙王和冥王告状的时候，玉皇大帝询问孙悟空近况，千里眼和顺风耳回禀：“这猴乃三百年前天产石猴。当时不以为然，不知这几年在何方修炼成仙，降龙伏虎，强销死籍也。”两位大神对孙悟空三百多年的经历，唯独没掌握孙悟空寻仙、拜师这二十来年的。注意原文，是说“不知这几年在何方修炼成仙”。也就是说，天庭对孙悟空在南赡部洲的八九年，在西牛贺洲的十来年都不清楚，即孙悟空在三界之中神秘消失了。

以如来五老级别的神通，是无法躲过玉皇大帝大天尊级别的法眼的。以如来的能力，也无法从东胜神洲到南赡部洲再到西牛贺洲，一路将孙悟空的信号屏蔽。

能做到这一点的，唯有单兵作战能力三界第一的太上老君。

我认为，菩提祖师就是太上老君。

太上老君将孙悟空引到西牛贺洲，衍化出三星洞。至于其他门徒则都可能是太上老君化身。目的只有一个，等待孙悟空，教给孙悟空本领。一旦孙悟空达到天仙级别，有能力翻江倒海了，太上老君就撤去洞府，从此消失。

太上老君本就是天下第一仙，是道家祖师；“化胡为佛”，佛法也是他所创立。儒家圣人孔子，曾向李太上老君问道，也算是太上老君弟子。书中讲菩提祖师说法，“说一会道，讲一会禅，三家配合本如然”。天下间能够融合道、佛、儒三家，浑然如一的，唯有太上老君。

第七节　佛祖打扮

关于太上老君是菩提的观点，有一个貌似“致命”的缺陷。

在平顶山孙悟空见九尾狐狸时说：“我为人做了一场好汉，止拜了三个人：西天拜佛祖，南海拜观音，两界山师父救了我，我拜了他四拜。”

事实上，孙悟空在说此话的时候还没有去灵山拜见如来呢。孙悟空第一次上灵山拜见如来，是在五十二回对付青牛精时。

那么，如何理解这“西天拜佛祖”呢？

首先，孙悟空说的是西天拜佛祖，而不是西天拜如来。

在《西游记》中，“佛祖”并非如来的专有名词。在书中，享受用“佛祖”二字代替本名的，有三位——如来、弥勒、接引。在《西游记》中，其实每一位佛都可以叫作佛祖。原文说：

“（唐僧辞行时）逢一位佛祖，拜两拜；见一尊菩萨，拜两拜。”

“（五圣成真时）诸众佛祖、菩萨、圣僧、罗汉、揭谛……一切得道的师仙，始初俱来听讲，至此各归方位。”

其次，菩提在教孙悟空的十来年间，一直是佛祖打扮。看原文：

“大觉金仙没垢姿，西方妙相祖菩提。不生不灭三三行，全气全神万万慈。空寂自然随变化，真如本性任为之。与天同寿庄严体，历劫明心大法师。”

许多读者只看到“大觉金仙”四个字，就想当然地认为菩提祖师是仙人，即道家打扮。其实不然。“大觉金仙”这个词，第一次出现是在北宋徽宗年代。徽宗崇奉道教，下面的人更大力推进以道融佛，认为佛也是道的一个分支。当时，佛被改头换面，叫作“大觉金仙”。

也就是说，孙悟空拜师时所见到的菩提祖师，是和尚打扮，并且是佛祖打扮。

那么，菩提祖师为何要佛祖打扮？若菩提是太上老君，太上老君此举有何深意呢？

首先，太上老君有化身万千，佛也是其中之一。

“空寂自然随变化，真如本性任为之”一句说的是，菩提祖师道法无边，可以任意变化，随意为之。这其中，自然就包括了长相。他可以是道士打扮，也可以是和尚打扮。

“与天同寿庄严体，历劫明心大法师”一句说的是，菩提祖师乃是与天同寿，历经劫难明白本心的大法师。在《西游记》中，和尚、道士都可以称为法师。“与天同寿”一词，则有两种解读。其一，修为高深，到了天仙境界，就可以与天同寿——因为，西游世界的天地每隔十二万九千年就会崩坏、重生一次。其二，就用本意，寿命与天相等。在西游世界，达到天仙境界的仙人很多，宽泛来说，都与天同寿，但是严格来说，真正与天同寿的，唯有一人——太上老君。

在南山大王故事中，孙悟空曾经说：“李太上老君乃开天辟地之祖。”

我多次在解读中提到，太上老君乃是先天地而生。有读者疑惑说，不知道出自何处，其实，就源自此处。

《西游记》第一回也提到了盘古：“感盘古开辟，三皇治世，五帝定伦，世界之间，遂分为四大部洲。”为何一部书中有两个开天辟地的人呢?

《西游记》中明确写到，女娲乃太上老君化身。盘古，其实也是如此。

西游世界是先有太上老君，太上老君诞生之后，随即开天辟地。盘古也好，女娲也好，都是太上老君的别名。

其次，太上老君精通三教，以佛身传授道法，正是表现。

《西游记》中没有一处表明如来精通道法。太上老君则不然。

太上老君号称道祖，不但是道派之祖，更“化胡为佛”，开创佛派，其实是真正的第一任佛祖。

菩提祖师以和尚打扮，传授道派功法，正显得人家高明。也由此可以推出，菩提绝非如来。

最后，太上老君如此做，是为孙悟空转投佛派打下基础。

菩提传授孙悟空的功法，并非三清门下的正统功法。在《西游记》中，三清正统修成的仙人，叫作大罗仙，旁门修成的仙人叫作太乙仙。孙悟空就是太乙金仙，即以旁门法术修成的天仙（佛）。

菩提所传主要功法是天仙诀，这功法是菩提（太上老君）融合佛道而独创的一门功法。正因为功法极为特殊，孙悟空三年就修成天仙，并且没有引发天地异象，也就没有引起天庭的注意。

第八节　菩提赐名

有人说，菩提祖师只教孙悟空造反的本领，却不教孙悟空做人的道理，明显居心不良。事情真的是这样吗？

绝非如此。

菩提祖师不但传授孙悟空三界第一奇功上品天仙诀，传授独门神通地煞七十二变，量身打造筋斗云这等天尊级飞行法术，更对孙悟空如何做人、如何处事谆谆教诲，耳提面命。可以说，菩提祖师对孙悟空来说，不但是严师，而且是慈父。菩提祖师对孙悟空的影响，在三界之中没有第二人。

尊菩提祖师为三界第一师，毫不为过。

初见菩提，孙悟空倒身下拜，磕头无数。为求长生，辗转飘零了八九年的孙悟空如今终于见到了仙人，让他如何不激动？

菩提祖师很亲切，询问孙悟空：“你是那方人氏？且说个乡贯姓名明白，再拜。”

有读者或许会有疑问，不是说菩提是太上老君，而太上老君是制造孙悟空的人吗？那此处菩提为何还要询问，一副根本不认识孙悟空的样子？

原因很简单，太上老君在演戏。太上老君图谋的计划将完全改变三界格局，必须小心谨慎。

孙悟空如实禀告：“弟子乃东胜神洲傲来国花果山水帘洞人氏。”

奇怪的事情发生了，菩提祖师大喝：“赶出去！他本是个撒诈捣虚之徒，那里修什么道果！”

孙悟空急忙磕头，说：“弟子是老实之言，决无虚诈。”祖师目光严厉，询问说：“你既老实，怎么说东胜神洲？那去处到我这里，隔两重大海，一座南赡部洲，如何就得到此？”孙悟空再次叩头，说：“弟子漂洋过海，登界游方，有十数个年头，方才访到此处。”

听完，菩提祖师换上温和语气说：“既是逐渐行来的也罢。”之后，浑如无事一般，询问孙悟空的姓名。

菩提祖师为何忽然生气，又忽然不生气呢？

孙悟空乃是石猴，天性顽劣，且称霸水帘洞三百年，前呼后拥，受群猴尊崇。可是，修仙要吃万般苦，受千种罪，历经磨难，方可达成。

菩提祖师就是要挫一挫孙悟空的威风，压一压孙悟空的傲气。并且，菩提祖师通过此举，告诉孙悟空，你既入我门下，此后就必须老老实实，绝不可有半点虚诈。

老实做人，绝不虚诈，是菩提言传身教，告诉孙悟空做人、修仙的第一要义。

之后，菩提祖师询问孙悟空姓名，听闻他无名无姓后，亲自为他取名。

菩提祖师对孙悟空期望极高，“孙悟空”三字含义深沉。

菩提祖师看孙悟空的身形模样，首先想到了“猢狲”二字。若做人姓名，自然要去掉兽旁。于是，有“胡”“孙”两个姓可以选择。那为什么选择“孙”而放弃“胡”呢?

菩提祖师说，“胡”，就是古月，古者老也，月者阴也。老阴不能化育。简单来说，就是年纪大的女人不能生育。菩提祖师认为，这个姓不适合修仙者。而“孙”，乃是一个“子”，加上一个“系”(繁体字“孫”的写法)。所谓“系”，就是细。细子就是婴儿。修仙者正需要有寻求赤子之心，因此，“孙”这个姓很适合修仙者。

那为何用“悟”的排行呢?

菩提祖师说，他门下弟子都是按照“广大智慧真如性海颖悟圆觉”十二字排行，算到孙悟空这一代，当用“悟”字。

菩提祖师关于排行的话，八成是假的。西游世界没有一个仙人是按照这个排行命名——别提如来哦，人家那个如来的“如”，不是排行。也就是说，樵夫虽然说菩提祖师有许多弟子，但事实却是，菩提祖师除了教出了孙悟空，在三界之中，没有其他弟子游走。

菩提祖师给孙悟空取名用“悟”字，最主要的目的，是为了取名“悟空”。

正如原文所说：“鸿蒙初辟原无姓，打破顽空须悟空。”一个修仙者，就需要参透万物，明悟一切。

唯有“悟空”，才能超脱凡尘。菩提祖师以取名的方式，告诉孙悟空做人、修仙的第二要义。

菩提祖师把孙悟空收入门墙后七年，啥也没有亲自教，只是让孙悟空和众位师兄学习言语礼貌，练字读书，空闲时扫地种菜，养花砍柴。

菩提为何不直接教孙悟空本领？

孙悟空有心修道不假，但他本是石猴，身上妖性未除。此前，孙悟空虽然在南赡部洲待了八九年，但是当时他不过是四处飘荡，并没有真正融入社会。作为一个兽类，要想修仙，首先就要类人，甚至成为人。

并且，孙悟空生性急躁，可修仙不可能一蹴而就。菩提祖师花了七年的时间等待孙悟空，用种种平淡甚至无聊的工作去消磨孙悟空的妖性，让他能够沉静下来。

然后，菩提祖师登坛说法，孙悟空听得入迷，不觉手舞足蹈。看到时机已到，菩提祖师就询问孙悟空想学什么。

菩提祖师告诉孙悟空，道可以分为三百六十个支派，每一派都可以修成正果。之后，祖师就分别询问孙悟空，学不学“术”，学不学“流”，学不学“静”，学不学“动”……孙悟空每一次都问，这种法门能不能长生？不能长生就不学。

最终，菩提祖师假装生气，走下讲坛，打了孙悟空三下，倒背手走出去，将中门关上了。

大家都认为孙悟空惹怒了师父，唯独孙悟空看破迷局，知道菩提祖师是让自己在半夜三更从后门进入，传其道法。

为何孙悟空明确提出要学长生之术，可菩提祖师询问的偏偏是不能长生的左道旁门呢？

那些左道旁门虽然不能获得长生，却可以轻易学成，比如扶乩请神，比如呼风唤雨，比如炼丹养气等，一旦学成，便可以得人间富贵，受世人尊崇。在缥缈的长生和现实的富贵面前，许多人会选择富贵。

菩提祖师就是要试一试孙悟空的道心是不是坚定。

正因如此，当孙悟空半夜走入时，听到菩提祖师口中吟诵一首诗：

“难，难，难！道最玄，莫把金丹作等闲。不遇至人传妙诀，空言口困舌头干！”

一个学生能得遇名师是一种幸福，一个老师能得教好学生同样是一种快乐。太上老君虽然可以创造出孙悟空，却并不能操控万物。孙悟空一出生，便有了自主意识，太上老君也只能进行暗中引导。见孙悟空如此聪颖，且道心坚定，菩提（太上老君）也是非常开心的。

摈除诱惑，坚持本心，是菩提祖师告诉孙悟空做人、修仙的第三要义。

菩提祖师对孙悟空的指引非常重要。不过，孙悟空能在短短十年修成天仙，和他修行的上品天仙诀以及他本人的努力，也有着必然的联系。

那么，这神秘的天仙诀究竟啥样？

第九节　得传大道

从来小说也好，影视作品也好，大多不会正面提到修仙口诀。为什么？一部作品，要让读者接受，有一个重要原则，就是可信度要高。若是读者看了之后，觉得你在胡扯，那他多半不会看下去了。修仙口诀自然不是真的，否则，作者早就成仙去了，哪里还会辛苦码字？

可《西游记》剑走偏锋，竟然全文刊出菩提祖师传给孙悟空的《长生诀》。孙悟空照此修炼，短短三年，就脱去凡胎，成就天仙。

下面请您与我一起来近距离观摩下这个《长生诀》，若您能有所触动，保不齐您也有仙缘哦！

“显密圆通真妙诀，惜修生命无他说。都来总是精气神，谨固牢藏休漏泄。休漏泄，体中藏，汝受吾传道自昌。口诀记来多有益，屏除邪欲得清凉。得清凉，光皎洁，好向丹台赏明月。月藏玉兔日藏乌，自有龟蛇相盘结。相盘结，性命坚，却能火里种金莲。攒簇五行颠倒用，功完随作佛和仙。”

这个口诀相当深奥，大体是讲修炼的种种窍门。有人指出，“休泄漏，体中藏”一句，菩提祖师莫非是说，修仙者不能有性生活？

当然不是这个意思。

精是生命的形态，气是生命的动力，神是生命的主宰。精气神，是一个生命体的三大支柱。有精气而无神，就会生不如死；有神而无精气，就会病入膏肓。唯有精气神旺盛，才能身体康健。

修仙者对精气神的掌控自然比凡人要高。要想保持精气神旺盛，就必须摈除杂念。这个杂念，就是各种欲望。无论是古代的神魔小说，还是当代的修仙小说，都讲究心神守一，灵台清明，否则，修炼很可能就会被心魔所噬，进而走火入魔。

达到摈除一切杂念、一切邪欲的时候，自然心灵清明，就如同夜空中皓月当空一般，天地清明，皎洁一片。

以上几行，按照修仙小说的观念，就是从凝气期达到筑基期，算是正式踏入修仙者行列了。

道家认为，修行之途万千，唯有修炼金丹是唯一正道。这个“月藏玉兔日藏乌，自有龟蛇相盘结”，不正是体内孕育金丹的象征吗？而要修成金丹，就要凝练五行，也就是诗句中所说的龟蛇相互盘结。

所谓“火里种金莲”，大概讲的是修仙本就是逆天而行，要想成就金丹，必须在死中求生，就如同在火海中孕育金莲。

最终，修仙者达到阴阳凝结、五行合一的境界，此后，是成佛还是成仙，就可以自由选择了。

在中国的许多神话故事中，一些人看了《道德经》就参悟成仙，可我们身边有不少人也看了《道德经》，不要说修成仙，就连一点仙气都没有。这是怎么一回事呢？

按照修仙小说的观念，那是我们没有仙根，再苦读也是枉然。

我觉得，所谓仙，只是古人对超越名利、超越世俗者的美称罢了。就比如佛，就是智慧者的意思。

回到小说中，孙悟空就是依据这个口诀，仅用三年，就修成了天仙。

但是，修成了天仙，仅仅是长寿而已。没有神通，在三界也只是个任人欺凌的活靶子。菩提祖师还传了孙悟空什么神通呢？

孙悟空自觉大道已成，就得意扬扬。菩提祖师告诉他，别高兴太早。即便是仙人，每隔五百年也有一场天劫。

第一个五百年是雷劫。这个雷劫平凡一些，但也是天雷，非同寻常。

第二个五百年是火劫。这火劫可厉害了。这火，不是凡火，而是“阴火”。我们经常会用到一个词“无名火起”，这个无名火，和阴火或许就差不多。你欢喜也好，恐惧也罢，只要心中有了波动，这阴火就会从你脚底涌泉穴往上冲，直接到头顶。即便是仙人，瞬间也会灰飞烟灭。

第三个五百年是风劫。这风叫作“赑风”。这种风，和人间任何一种风都不同，只要被击中，就会从脑门中乘虚而入，瞬间全身骨肉消散。即便是金刚不坏之体也要融解。

孙悟空大惊，问如何躲避这三灾。菩提祖师就传他地煞七十二变。

孙悟空没花多少时间就学成了七十二变。之后，菩提又传他筋斗云，一个筋斗飞行十万八千里。这个飞行速度，在整个仙界，都算是极快了。

菩提祖师教给孙悟空的这三门功法厉害吗?

看似厉害，其实不厉害。

《长生诀》让孙悟空超脱三界，成为天仙，可以长生。孙悟空的神魂还算强大，可身体远远不行。回到花果山时，混世魔王使的仅是一把普通魔刀，孙悟空就不敢与其正面招架，只能变出几百只小猴，缠住魔王。

用书中说法，孙悟空是炼成了“不生不灭体”，却不是金刚不坏之体。

七十二变颇为玄妙。取经路上，孙悟空用这变化之术变苍蝇、变蜜蜂、变小妖，办成了不少事情。不过，这地煞七十二变可以瞒过不少仙人，但是并非无往不利。

比如，孙悟空在和二郎神斗法时，变化之术就处处被克制。二郎神“凤目圆睁”，往往就看透幻象，发现孙悟空。二郎神为何能看破幻术？是因为有第三只眼吗？这点我们后文再说。

至于筋斗云，是个保命绝招。除了遇上如来、大鹏雕这等超级的存在，孙悟空即便是打不赢，也可以逃得脱。

孙悟空在遇上如来佛时，如来问孙悟空有何神通。孙悟空得意扬扬地说：“我有七十二般变化，万劫不老长生。会驾筋斗云，一纵十万八千里。”如来听了只是呵呵笑。

孙悟空这三种神通，看似厉害，其实没有一项具有超强的攻击性，反倒有两样是逃命的神通。

有人会说，孙悟空打架不是挺厉害吗？但孙悟空的格斗之术是菩提祖师教的吗？在第二回斗杀混世魔王后，群猴说，他们是被魔王一阵风摄来的。如今回去，路途遥远。孙悟空说：“我如今一窍通，百窍通，我也会弄。”菩提祖师没有传孙悟空格斗之术。孙悟空是在领悟仙道之后，自学成才，学会格斗的。

堪称三界第一仙的菩提祖师，为何不教给孙悟空一些必杀技，反倒交给孙悟空三项都有重大缺陷的神通呢？

因为菩提就是太上老君，太上老君秘密训练孙悟空的目的，是让其充当闹事者，进而充当密探。做这种事情的人，保命手段第一。

于是，菩提传长生之术满足孙悟空的愿望，传七十二变逃过绝大多数仙人的法眼，传筋斗云可以逃过绝大多数仙人的追杀。

菩提祖师传授的这三种功法，既可以满足棋子的需求，又不会让棋子太强，以至于失控。

那么，孙悟空修仙结束，回到花果山后，又发生了什么呢？

孙悟空回到花果山后，遇上了一个很奇怪的妖怪。这个妖怪是谁呢？

第十节　混世魔王

在《西游记》中，混世魔王是一个很奇怪的妖怪。

几乎所有的妖王出场都有来历介绍，可是，混世魔王没有。混世魔王是在几年前忽然从天而降，出现在水帘洞群猴的生活中的。

几乎所有的妖王出场都有长相介绍，可是，书中除了提到混世魔王头戴乌金盔，身穿皂罗袍，膝下黑铁甲等衣着打扮外，没有一句提到混世魔王的真正长相。

几乎所有的妖精被打死，都会现出本相，可是，书中混世魔王被杀，仅仅写道："照顶门一下，砍为两段。"魔王被杀死后，本相究竟是什么呢？书中一直未提。

最为关键的是，混世魔王看起来很凶恶，其实根本不算坏。

当孙悟空回到花果山水帘洞，许多猴子纷纷诉苦说："近来被一妖魔在此欺虐，强要占我们水帘洞府，是我等舍死忘生，与他争斗。这些时，被那厮抢了我们家火，捉了许多子侄，教我们昼夜无眠，看守家业。幸得大王来了。大王若再年载不来，我等连山洞尽属他人矣。"

混世魔王究竟对水帘洞群猴做了些什么呢？

一是意图强占水帘洞，被群猴击退。

二是抢走了水帘洞中的许多家伙，抓走了许多小猴。

混世魔王的神通究竟如何？

混世魔王比孙悟空自然不如，但是，他会腾云驾雾，手中更有一柄神刀，即便是孙悟空也不敢正面与他迎战，只能使用身外化身困住魔王。若魔王全力进攻水帘洞，水帘洞那群不入仙流的猴子能够抵挡住吗？根本挡不住。

后文还提到，混世魔王的洞府中有三五十个被掳来的猴子，还有许多锅碗瓢盆，都来自水帘洞。由此可见，混世魔王是一度攻占了水帘洞的，只是后来主动撤出了水帘洞。

因混世魔王撤退，群猴往自己脸上贴金，说是舍生忘死，与魔王争斗才保全了水帘洞。

混世魔王为何会撤退？

孙悟空刚回到水帘洞前，书中写道："那崖下石坎边，花草中，树木里，若大若小之猴，跳出千千万万，把个美猴王围在当中。"若混世魔王真要害群猴，群猴怎么还能有千千万万？就是那些被掳走的小猴，也并没有受到虐待，对魔王没有一句怨言。

只因混世魔王根本就没想害水帘洞群猴。

这是为什么呢？

这就要说到混世魔王的来历了。

混世魔王何时出现？书中借群猴之口点出时间"近来"——也就是近几年。到底是几年呢？

被掳走的小猴说："我等因大王修仙去后，这两年被他争吵，把我们都摄将来。"

原来，这混世魔王出现，仅仅是这两年出现的事情。

混世魔王住在哪里呢？原文说：

“笔峰挺立，曲涧深沉。笔峰挺立透空霄，曲涧深沉通地户。两崖花木争奇，几处松篁斗翠。左边龙，熟熟驯驯；右边虎，平平伏伏。每见铁牛耕，常有金钱种。幽禽斯朔声，丹凤朝阳立。石磷磷，波净净，古怪跷蹊真恶狞。世上名山无数多，花开花谢蘩还众。争如此景永长存，八节四时浑不动。诚为三界坎源山，滋养五行水脏洞！”

原来，这混世魔王居住地叫作坎源山水脏洞，乃是一处颇有道趣的仙境，若仔细比较，竟然和花果山水帘洞前的景象十分相像。

书中说花果山，叫作“此山乃十洲之祖脉，三岛之来龙”，而水帘洞更是花果山中之福地，灵气充裕，适合修行。

混世魔王本来有自己的山头，有自己的洞府，看情形根本不在水帘洞之下。他也有自己的小妖，为何还要跑到水帘洞去抢夺猴子，为自己惹来大祸呢？

只因为混世魔王就是孙悟空，或者说是孙悟空的凡胎（心魔）所化。

熟悉《西游记》的读者估计都会记得唐僧坐无底船通过凌云渡的景象。从上游飘下来一具男尸，大家一看，都认出是唐僧。唐僧师徒五人，除了唐僧，其他四人都早已脱去了凡胎，成就了仙身。

那么，孙悟空是什么时候脱去凡胎呢？

孙悟空离开花果山，在南赡部洲待了八九年。后来，到西牛贺洲拜在菩提祖师门下，学习知识，了解礼仪，一共花了七年。之后，菩提祖师传孙悟空上品天仙诀；修行三年后，再传七十二变化；又大约一年后，菩提祖师将孙悟空赶走。

换言之，孙悟空大约是在两年前修成了上品天仙诀，脱去了肉体凡胎。

魔王的洞府名叫水脏洞。所谓水脏，其实就是肾，肾代表着欲望、奢求以及因此产生的种种贪婪与执着。

孙悟空的凡胎，因是天生灵物所化，竟然有了自主意识，不过却因远离本体，渐渐陷入魔道，成为贪婪、欲念的化身。

差不多在同时，水帘洞遭受到了混世魔王的袭击。

有没有证据证明我这种猜测呢？大家细品《西游记》第二回的回目“悟彻菩提真妙理　断魔归本合元神”。前一句是说孙悟空领悟了菩提祖师所传仙法，后一句则是说孙悟空斩杀混世魔王乃是回归本源，元神与身体合一。

正因混世魔王是孙悟空的凡胎所化，心魔所化，因此书中对混世魔王没有长相介绍。魔王被斩杀后也没有现出原形，而是化为虚无。

当然，孙悟空斩杀了混世魔王后，并非就代表着体内没有了魔性。无论是为名，还是为利，只要有欲求，就容易产生执念，也就容易陷入魔道。

那么，孙悟空此后有没有陷入魔道呢？

第十一节　傲来夺兵

孙悟空的前半生可以分成三个时期：享乐天真的美猴王时期，傲视三界的齐天大圣时期，取经赎罪的孙行者时期。

在这三个时期中，绝大多数读者最喜欢的，是齐天大圣时期。

不过，多数人都没有注意到，齐天大圣时期的孙悟空，其实是最黑化、最残暴的孙悟空。

换言之，那时候的孙悟空，是百分百的妖猴、魔王。

从菩提祖师处学成归来的孙悟空，除了好强一些，喜欢卖弄，还是一个非常善良的猴。回到花果山后，因为混世魔王欺凌群猴，孙悟空为了保护家人才果断出手，将其斩杀。那么，孙悟空是在什么时候开始魔化，踏上与混世魔王一样狂妄自大、欺凌弱小、追求强力道路的呢？

是从傲来国夺兵事件开始。

在大多数情况下，孙悟空做事很有分寸，也颇有远虑。

在灭了混世魔王后，孙悟空一心要扩充水帘洞实力。他本人有一口夺自混世魔王的大刀，勉强凑合可以使用。小猴子们则砍断竹子、树木做成标枪刀剑，又整治出一些旗帜，号令上下，颇有一番气象。

放眼花果山，水帘洞已经成为一股不可小视的力量。多数妖魔在此时便会自大起来，可是，孙悟空没有。

孙悟空想："我等在此恐作耍成真，或惊动人王，或有禽王、兽王认此犯头，说我们操兵造反，兴师来相杀，汝等都是竹竿木刀，如何对敌？须得锋利剑戟方可。如今奈何？"

孙悟空最开始操练军队，提升战力，不过是为了保护水帘洞不再受人欺凌。可是，人无伤虎意，虎有害人心。别家势力可不会这么看待水帘洞群猴。

首先，花果山上七十二洞妖王正在伺机而动，争夺花果山霸权的战役很快就会打响。其次，花果山归东胜神洲傲来国管辖。数百年来，花果山一直太平无事。一旦人类发现花果山群猴竟然组建了军队，势必惊动官府，派遣兵马，前来征讨。

因此，孙悟空想，应该去弄一批真刀真枪来才行。

孙悟空想得没错，可是因为一时的贪念，却遗留下大祸。

通背猿猴等四大健将告诉孙悟空："我们这山，向东去有二百里水面，那厢乃傲来国界。那国界中有一王位，满城中军民无数，必有金银铜铁等匠作。大王若去那里，或买或造些兵器，教演我等，守护山场，诚所谓保泰长久之机也。"

通背猿猴等告诉孙悟空，或者购买一些成品兵器，或者付钱让铁匠打造一些兵器，然后带回花果山，让群猴操练。

为什么不直接去抢呢？

通背猿猴强调：那国界中有一王位，满城中军民无数。也就是说，傲来国是有主的，并且那位国王的军事势力很强。如果去购买、打造，大家彼此两不相欠，傲来国王就没有理由攻打花果山。

可惜，孙悟空之前答应得挺好，到达傲来国后，看到街头来来往往的都不过是寻常人类，于是他想："这里定有现成的兵器，我待下去买他几件，还不如使个神通觅他几件倒好。"

孙悟空贪念一动，魔性便起。

在大风中，傲来国众人都关门闭户，躲了起来。孙悟空大摇大摆闯入傲来国官署，找到武器库，打开库门，见到里面有无数刀枪剑戟各类兵器。孙悟空大喜，使出身外化身，变出千百个小猴，全部都来搬动刀枪。转眼间，偌大武器库被孙悟空搬了个干净。

之后，孙悟空驾一阵狂风，带着拿着武器的群猴，回到了花果山。

孙悟空把这些武器发放下去，组建起一支足有四万七千猴妖的庞大妖军。花果山上七十二洞妖王全部都被惊呆了，大家都来到水帘洞前，臣服于孙悟空。孙悟空也颇懂管理，让这七十二洞妖王，或者出妖兵参加操练，或者出粮食充作赋税。短短数月间，花果山变成一座铁桶江山。

书中此后许久没有写傲来国的反应，一直到五百多年后，孙悟空因三打白骨精，被赶回花果山，才又提及傲来国。

其实，我们完全可以推测，在孙悟空大闹傲来国，盗走武器库兵器后，猴妖造反一事必定轰动傲来国。

傲来国王会怎么做？

必定日夜操练兵马，寻找时机，剿灭花果山猴妖。

孙悟空觉得他的花果山是金城汤池，其实，他的野心越大，引来的祸患也就越大。花果山在美猴王时期，太平了三百多年，在孙悟空齐天大圣时期，安定了一百六七十年。可是，在大闹天宫之后五六百年，花果山一直受到各方势力的欺凌。其中就包括来自傲来国官方大军的征讨。

所谓“种瓜得瓜，种豆得豆”，话很朴素，道理很深。

孙悟空抢来兵器之后，潜入东海，半借半抢，从东海龙王手中夺走了金箍棒，其他三海龙王又被迫献上盔甲。

中国人号称是龙的传人，龙在中国人心中一直有着崇高的地位。那么，在西游世界中，龙族的地位如何呢？

第十二节　龙族地位

在如来佛降伏孙悟空之后，玉皇大帝召开安天大会，请如来佛吃饭。原文说：“桌上有龙肝和凤髓，熊掌与猩唇。珍馐百味般般美，异果嘉肴色色新。”原来，强大的龙族竟也有沦为仙佛盘中餐的悲催时刻！

在群仙参加蟠桃会时，不少仙人都是乘着龙，驾着凤，坐着各种神兽前来。

在黑水河故事中，西海龙王介绍他的八个外甥（泾河龙王之子），其中有五个做了水神，老五负责给佛祖敲钟，老六趴在神宫大殿上充作镇脊兽，老七盘旋在玉皇大帝灵霄宝殿前的华表上。

在五圣成真时，白龙马跳入化龙池，退去毛皮，换了头角，恢复为龙身。小白龙的工作是什么呢？“盘绕在山门里擎天华表柱上。”小白龙和他七表哥一样，都是盘旋在华表之上，说得好听点叫佛派护法神龙，说得实在些就是门卫，无论日晒雨淋，无论春夏秋冬，都必须盘在华表上，一动不动。

那么，龙族在西游世界的命运是不是很卑贱呢？

不是的。

我们看问题不能管中窥豹，只看到某一面。不能因为某一条龙成为仙佛的盘中餐，就说整个龙族都不行。

地位的高下其实是比较而言。和不同的参照物相比，得出的结论将大不相同。

龙是一个族群的通称。龙族有孱弱到终生不能退去鳞甲、无法化成人形、不入仙流的菜鸟，也有翱翔九天、号令一方的地仙级天庭正神，还有修成佛身的天仙级高手龙尊王佛。

可是，即便是最弱的龙，在普通人类、普通兽类面前，那也是绝对的强者。即便是凶猛如虎狼狮豹，在一条最普通的龙面前也只能颤抖。

在西游世界，大多数的龙都能够超越绝大多数妖类，可称为妖类中的巅峰强者。

泾河龙王一共有九个儿子，九个儿子无一例外都修炼有成。其中，有八个得了正果，即有了天庭正式编制，成为正神。即便是最小的小鼍龙，那也神通广大，把原来黑水河的水神打得屁滚尿流，和八戒、沙僧交手，也毫无惧色，大战数十回合胜败不分。

他们不但可以变化人形，并且天生具有兴云布雨、驾驭江河的神通。在水系法术的领悟上，三界族群中很少有能够和龙族相比的。

也就是说，龙族不但本身实力足够强大，更有超强的繁殖能力，其优越的血脉传承，可以保证一批又一批的龙进入仙途，甚至取得天庭编制。

人间有无数江河湖海，四海之主都是龙族，各大江河也大都是由龙族充当水神。虽然各地还有一部分人族出身的仙人充当水神，但可以想见，在数百年后的未来，人间水神几乎会成为龙族专属。

并且，这些龙神既不属于人间帝王管辖，也不属于人间的仙人管辖。

在青牛精故事中，原文提到，四海龙王和江河水神都属于天界九曜星之一的水德星君管辖。九曜星君在三界的排名虽然不如五方五老，但是和五方五老不属于一个权力系统。换言之，五方五老对四海龙王的工作，没有权力指手画脚。他们如果要四海龙王办事，必须是人家龙王买他们面子，否则只能先向水德星君备案。

泾河龙王被杀事件中，身为五方五老的如来、观音虽然地位高，但无权干涉龙神工作。在冤杀泾河龙王后，观音菩萨出面，一口气为泾河龙王的八个儿子都安排了工作。小儿子小鼍龙，即便年纪没到，也被下放到黑水河做了水神。

就算是在仙人当中，龙神的地位也非常特殊。

下雨，是由九天应元普化天尊管辖。他麾下有风、云、雷、雨四部仙人。四部群仙中又以四海龙王为首。为什么呢?

三界仙人所有的收入与消费，都源自下界百姓的香火。兴云布雨的龙神，在民间最受百姓崇拜。人家提交的香火最多，自然应该享受更高一些的待遇。

应该说，龙在西游世界的地位远远超过人类、兽类，超过绝大多数妖类，也超过大部分仙人。

从大局来看，上天是公平的。龙族虽拥有人类修仙者无法比拟的先天优势，但因为是妖兽出身，最终会受到天地法则的局限。西游世界的龙神，几乎都被困在地仙级别。修成天仙的寥寥可数，更无一位达到天尊级别。

事实上，西游世界像玉皇大帝、如来这样天尊级别的仙人少之又少。他们已经站在三界的最巅峰。而我们换一个角度看，龙肝能出现在安天大会的饭桌上，成为玉皇大帝招待如来的一道菜，正说明龙在三界的地位还是比较高的。

综合以上，大家应该清楚龙族在西游世界的地位了吧。能成为玉皇大帝桌上一道菜，不但不能证明龙族地位卑微，反倒证明龙族地位挺高哦！

第十三节　龙宫取宝

在斩杀混世魔王之后，孙悟空敏锐地注意到武力的重要。他为猴子猴孙抢来各种兵器，自己则深入龙宫，取来如意金箍棒。

那么，金箍棒的主人是谁呢?

这个问题看似简单，其实挺复杂。

看管金箍棒几千年的龙王介绍说："那是大禹治水之时，定江海深浅的一个定子。它是一块神铁，能中何用?"这敖广，不知道在多少万年前就已经是东海龙王。这定海神针乃是他亲眼见证，由大禹放入，以镇压海涛的。

因此，说金箍棒是大禹留下的，这个观点没错。

但是，大禹不过是人仙一流——大禹可以变化成熊，有搬山移海之能——他怎能炼化出金箍棒这种通灵级别的法宝呢？

我们细品龙王话语，可以发现，人家只是说金箍棒是大禹留下的，并没有说是大禹制造的。

在书中第七十五回，孙悟空与狮驼岭三魔头斗法的时候，孙悟空亲口提到了金箍棒的真正来历：

“棒是九转镔铁炼，太上老君亲手炉中煅。禹王求得号神珍，四海八河为定验。中间星斗暗铺陈，两头箝裹黄金片。花纹密布鬼神惊，上造龙纹与凤篆。名号灵阳棒一条，深藏海藏人难见。成形变化要飞腾，飘爨五色霞光现。老孙得道取归山，无穷变化多经验。时间要大瓮来粗，或小些微如铁线。粗如南岳细如针，长短随吾心意变。轻轻举动彩云生，亮亮飞腾如闪电。攸攸冷气逼人寒，条条杀雾空中现。降龙伏虎谨随身，天涯海角都游遍。”

在这首诗歌中，孙悟空亲口告诉三魔，金箍棒乃是太上老君亲自在八卦炉中炼化，可谓出身名门，来历不凡。

要知道，在西游世界中，顶级的法宝都是由太上老君炼化锻造的。诸天神佛，即便是四帝、五老级别的，也非常珍视太上老君出品的法宝。

在捉拿孙悟空的时候，观音做出姿态，想要用玉净瓶去砸孙悟空，口中却说：“我将那净瓶杨柳抛下去，打那猴头；即不能打死，也打一跌，教二郎小圣，好去拿他。”观音对自己的玉净瓶极度不自信。太上老君一听笑了，说：“你这瓶是个瓷器，准打着他便好；如打不着他的头，或撞着他的铁棒，却不打碎了？你且莫动手，等我太上老君助他一功。”

被如此嘲笑，菩萨恼了吗？没有。她老老实实退后一步，看太上老君用金刚琢打翻孙悟空。

当然，金箍棒只是太上老君锻炼的二流法宝，不如金刚琢，但毕竟也是炼器大师作品，再差也差不到哪里去。

不过，这中间还是有问题。

当初，龙王只是告诉孙悟空，金箍棒是大禹留下的。并且，孙悟空在回到花果山后向猴子们介绍金箍棒，也只是提到了是大禹留下的定海神针铁，根本没提太上老君。此后，孙悟空还多次介绍过金箍棒的来历，都没有提到太上老君。

全书当中，提到金箍棒是太上老君锻造的，唯有前文那一次。

孙悟空是在什么环境下，说金箍棒是太上老君锻造的呢？

狮驼岭的大魔王狮魔挥舞一把大刀砍孙悟空，介绍他的刀多么厉害：“金火炉中造，神功百炼熬。搀着你这和尚天灵盖，一削就是两个瓢！”

孙悟空一听笑了，挥棒就打。魔头骂道：“泼猴无礼！甚么样个哭丧棒，敢上门打人？”

在这样的情况下，孙悟空说出金箍棒是太上老君锻造的。

三魔一听，竟然吓得战战兢兢。

那么，是孙悟空说出了事实，还是孙悟空吹牛皮，拉上太上老君给自己充门面呢？

孙悟空爱吹牛吗？

孙悟空爱吹牛。他最爱吹的牛皮，就是当初大闹天宫时横扫三界，官拜齐天大圣。仙界下凡的妖怪听了就发笑，嘲笑孙悟空是弼马温。这是取经路上的常见桥段。

可孙悟空爱吹牛是真，但从不撒谎，尤其是在大事件上不撒谎。

人家当年确实是大闹天宫，横扫三界嘛！至于当初那些神仙耍滑偷奸，出工不出力，那怎怪得了孙悟空？

并且，孙悟空说，太上老君制造了金箍棒，大禹治水需要，向太上老君借了来定海。一切合情合理。

因此，我觉得孙悟空说的是事实。

只是，龙王并没有告诉孙悟空这些，为何孙悟空知道真相呢？

我们看金箍棒诗歌说，“花纹密布鬼神惊，上造龙纹与凤篆”，这些花纹必然是一种神秘符文，可以使得金箍棒坚固无比，变化如意。用科学的说法，金箍棒上这些符文能激发一种声控装置，能够大小如意。

不过，我觉得不仅如此。书中特别提到金箍棒在海中几千年毫无动静，可孙悟空一来，就霞光万道。按我的推测，金箍棒上这些符文是一种特殊传承。孙悟空在触碰到金箍棒的时候，就得到了许多信息。

但是，当时孙悟空还不明白太上老君送给他金箍棒的用意。而多年之后，尤其是被抓入八卦炉修炼之后，孙悟空明白了许多。正因为知道了一些内幕，取经路上，他才不敢轻易泄漏太上老君和他的隐秘关系。一直到老魔嘲笑他的棒子是哭丧棒时，一贯自尊心超强的孙悟空，才忍不住爆出真相。

第十四节　铁棒如意

关于金箍棒的使用情况，有许多难解之谜。

其一，孙悟空常用状态下的金箍棒到底有多大？

原文说："悟空撩衣上前，摸了一把，乃是一根铁柱子，约有斗来粗，二丈有余长。"

一丈等于三米，这点大家都知道。不过，"斗"是多大？现在很多读者都没有见过"斗"。斗，是古代用来量米的工具，犹如一个切掉了顶部的倒金字塔，口大而底小。一斗，就是十升。一般的斗口，差不多有一尺见方，比现在大号的水桶还要粗。

原文说："他尽力两手挝过道：'忒粗忒长些，再短细些方可用。'"

孙悟空用两手尽力去抓，可根本抓不过来，于是才说，实在是太粗太长了。

话刚出口，金箍棒立刻细了一圈，短了几尺。孙悟空又说了两次，即一共缩小了三次后，孙悟空耍弄金箍棒，才感觉十分趁手，此后就固定使用这个尺寸了。

那么，这个孙悟空经常使用、变小三次后的金箍棒，到底有多大呢？

原文说："只有丈二长短，碗口粗细。"丈二，也就是四米，比如今一层楼还要高。而古代人吃饭用的碗，多是粗瓷大碗，差不多和现在的汤碗那么大。

孙悟空有多高？在书中借混世魔王之口提道：“你身不满四尺，年不过三旬，手内又无兵器，怎么大胆猖狂，要寻我见什么上下？”唐朝一尺大约是三十厘米，明代一尺大约三十一厘米。总之，无论用哪一个标准，孙悟空的身高都仅仅有一米三左右。

可以想见，孙悟空这么矮，而金箍棒竟然那么长，这一长一矮的对比实在太鲜明。

其二，金箍棒变小后，重量有变化吗？

在金箍棒上有一段文字，叫作“如意金箍棒一万三千五百斤”。也就是说，这金箍棒在标准情况下是重一万三千五百斤。这一点，是没有疑义的。

但是，孙悟空连续喊了三次变细后，金箍棒变成了丈二长，碗口粗。按长度比例，也就是此前的五分之三模样。那么，金箍棒的重量是不是也按比例变成了八千一百斤呢？

第一种猜测：没变。

金箍棒应当是一种非常神奇的兵器，它变化的只是外形，本质始终如一。因此，无论金箍棒有多大，或有多小，都是一万三千五百斤。

第二种猜测：变了。

金箍棒随着形态的变化而发生变化。在标准的两丈多长状态下是一万三千五百斤，而在孙悟空经常使用的丈二长情况下，就应该变成八千一百斤。

大家觉得哪一种猜测更符合情理呢？

是第二种。

金箍棒是一件通灵神兵，可以随心变化。这个变化，不仅仅是外形变化，自然还应当包括重量变化。比如说，在缩小无数倍、变成绣花针时，其重量也必然发生巨变，变得极轻。如此，孙悟空才能把绣花针放入耳朵中。

虽说孙悟空的力量很大，比一般仙人都要大，但是孙悟空的力量也有极限。在平顶山，银角大王移来两座大山，就把孙悟空压得青筋暴露、气喘吁吁。待第三座山压下，孙悟空立刻就七窍流血，受了严重内伤。

其三，使用法天象地、身外化身时，金箍棒重量如何？

孙悟空在地煞七十二变之外，还领悟了法天象地、身外化身等多项强力神通。

孙悟空第一次使用法天象地，就是在得到金箍棒、回到花果山之后。在群猴的吹捧下，孙悟空卖弄之心膨胀。原文说：

"将宝贝擅在手中，使一个法天象地的神通，把腰一躬，叫声：'长！'他就长的高万丈，头如泰山，腰如峻岭，眼如闪电，口似血盆，牙如剑戟。手中那棒，上抵三十三天，下至十八层地狱，把些虎豹狼虫，满山群怪，七十二洞妖王，都唬得磕头礼拜，战兢兢魄散魂飞。"

当金箍棒变成顶天立地模样，是有多重呢？

还是一万三千五百斤？不对。如果那样的话，金箍棒不成了纸糊的假货了吗？

所谓法天象地神通，是仙法当中一种罕见的激发潜能的秘法，它能够在极短时间让一个人的战斗力增强数倍甚至十数倍。但是，随之而来的是法力的迅速消耗。因此，孙悟空和二郎神斗法时，都施展过法天象地神通，但时间都不长。因为，大家都消耗不起。

在七绝山，八戒关于变大的一段话，也可以作为旁证。当时，七绝山路被千百年的烂柿子堵塞，无法通过，孙悟空就让八戒变化成大猪拱开一条路。八戒开始不肯，后来说：

“我老猪本来有三十六般变化，若说变轻巧华丽飞腾之物，委实不能；若说变山，变树，变石块，变土墩，变赖象、科猪、水牛、骆驼，真个全会。只是身体变得大，肚肠越发大，须是吃得饱了，才好干事。”

大家注意最后一句，八戒的意思是，变成越大的东西，饭量就要加大。其实，加大消耗的不是饭，而是食物带来的能量，即法力。

孙悟空施展法天象地时，短时间消耗巨大能量，换来力量、速度的倍数增长，自然其兵器金箍棒也应当变大、变重——金箍棒本身犹如一件高科技器械，没有能量不能启动，它变大变重的能量来源，是孙悟空的法力。

至于身外化身之术，在最开始的阶段，孙悟空变出的是小猴子，应该只具有他本体极少的力量。后来，孙悟空能变出小行者，能力必然增强一些。再后来，孙悟空变出的是各自挥舞金箍棒的小行者，其实力必然又更强一些。

这一点，就犹如《火影忍者》中鸣人的影分身术，随着等级越高，影分身的实力也越强。

金箍棒呢？它可以和孙悟空一样进行分裂，但是，能够发挥多大的杀伤力要看孙悟空能够注入多少法力。

在取得金箍棒后，孙悟空被鬼差勾魂，进入幽冥界。孙悟空大展神威，搅乱幽冥界，以致惊动了玉皇大帝。

幽冥世界中又潜藏了哪些秘密呢？

第十五节　大闹幽冥

西游世界中的幽冥界，有许多未解之谜。

第一，幽冥世界牌匾变换，是否代表政权更迭？

在第三回，孙悟空被勾魂，进入幽冥界的时候，原文说："猴王渐觉酒醒，忽抬头观看，那城上有一铁牌，牌上有三个大字，乃'幽冥界'。"

但是，在六七百年后，唐太宗梦游地府，同样是十殿阎罗居住的城池，所见却并不相同。原文说："忽见一座城，城门上挂着一面大牌，上写着'幽冥地府鬼门关'七个大金字。"

为何同一座城的牌匾不相同呢？坊间有人提出一个大胆的推测——幽冥世界发生了夺权行为。

事情真的是这样吗？

不是。

在孙悟空大闹地府时，幽冥世界的教主是地藏王菩萨，十殿阎罗是常务。在第三回，东海龙王进献表章，状告孙悟空之后，原文说："有冥司秦广王赍奉幽冥教主地藏王菩萨表文进上。"此处，就是秦广王捧着地藏王菩萨的表章，求见玉皇大帝。

在唐太宗梦游地府时，幽冥教主依然是地藏王菩萨，常务依然是十殿阎罗，管理层没有任何人员变动。

那么，为何两处牌匾不同呢？

有两种可能。

第一种，孙悟空来自东胜神洲，走的应当是幽冥城的东门，其上牌匾为"幽冥界"。李世民来自南赡部洲，当从南门入，其上牌匾为"幽冥地府鬼门关"。因城门不同，故牌匾不同。

第二种，孙悟空是被勾死人的拘押而来。勾死人的只是把孙悟空当成寻常角色，走的是幽冥城的小门。而唐太宗是被判官恭恭敬敬迎接来的，走的是幽冥城的大门。故此，牌匾有不同。

第二，如何理解孙悟空名册在"魂"字部。

有一种观点认为，孙悟空是如来佛祖的摩尼珠所化，理由出自孙悟空与王灵官一战时，原文的诗词如下：

"圆陀陀，光灼灼，亘古常存人怎学？入火不能焚，入水何曾溺？光明一颗摩尼珠，剑戟刀枪伤不着。也能善，也能恶，眼前善恶凭他作。善时成佛与成仙，恶处披毛并带角。无穷变化闹天宫，雷将神兵不可捉。"

文中所说摩尼珠，一方面是说孙悟空与王灵官斗法，三头六臂，旋转飞舞，"好便似纺车儿一般，滴流流，在那垓心里飞舞"，转动不停；另一方面确实也可以暗示孙悟空的出身。

但因此说摩尼珠属于如来佛，甚至说是如来佛的舍利子，就有些牵强了。孙悟空是仙石产出的石卵所化，其形体本就如摩尼珠一般。即便孙悟空是由摩尼珠所化，摩尼珠也根本不是舍利子，而是龙神大脑中孕育的一种宝珠。

而这种观点却认为，正因孙悟空是舍利子（摩尼珠、灵珠）所化，故此在生死簿中，只能入“魂”册。

这其实是对原著的一种误读。那么，如何解释孙悟空的名字写在生死簿中的“魂”字册？

原文写孙悟空翻查自己的生死簿，说猴类与众不同：“另有个簿子，悟空亲自检阅，直到那魂字一千三百五十号上，方注着孙悟空名字，乃天产石猴，该寿三百四十二岁，善终。”

孙悟空为何是魂字一千三百五十号？

首先，一千三百五十这个数字对吴承恩很重要，犹如九九八十一、七七四十九一般。像孙悟空的金箍棒，就是一万三千五百斤之数——比一千三百五十之数多一个零而已。

其次，生死簿所有记载，都应当是魂字第几号。

为何这么说？因为所有死者，都必须以魂魄状态才能进入幽冥。

孙悟空是在喝醉酒的状态下，在睡梦中被勾死人的拘走了魂魄。而唐太宗是因为受到惊吓，然后昏迷中以魂魄进入幽冥的。

孙悟空在真假美猴王故事和寇员外故事中，两次进入幽冥。那两次，孙悟空是真身进入。毕竟孙悟空根本不是凡人，更不是死人。

正因为死者都是以魂魄状态进入幽冥，故大家都是写成魂字第几号的。

第三，生死簿中被勾去名字的猴子可以活多久？

生死簿，应当是幽冥界第一红宝书，具有相当大的魔力——只要在上面做一点改动，立刻就可以影响一个人的生死。

比如，崔判官偷偷在生死簿上为唐太宗加了两笔，把一改成了三，唐太宗就真的延长了二十年的寿命。

不过，是这生死簿本身有魔力，还是上天赋予生死簿魔力呢？

我想，是后一种。

生死簿就是一本书，一本很普通的书。上面的所有记载，是幽冥界通过种种因果报应、加分减分的规则，然后计算出来的数据汇总。

这个规则的制定者，绝不可能是十殿阎罗，也不会是地藏王菩萨。这个规则只能由玉皇大帝等天庭掌权者制定。所有凡人、凡兽都要遵循这个规则。地藏王菩萨、十殿阎罗、判官、鬼差都是这个规则的执行者。

不过，十殿阎罗虽然不是规则的制定者，但是他可以在规则的范围内，对一个人的生死进行调控。比如，崔判官为唐太宗延寿，就绝不可能是崔判官个人的意思，应当是十殿阎罗的意思。而十殿阎罗又是秉承地藏王菩萨、观音菩萨的意思。

当孙悟空将花果山上有名的猴子在生死簿中划去时，十殿阎罗本来是不认账的，他们上表玉皇大帝，要求严惩孙悟空。若孙悟空被击败，花果山上被划掉名字的猴子还是会被勾魂的。但打败天兵后，孙悟空被请上了天庭，当了将近二百年的神仙。后来虽然由于大闹天宫落得被压五行山的下场，可是，三界——尤其是幽冥界仙人都知道了孙悟空的真正能力。

孙悟空是个大恶人。为了远离祸水，十殿阎罗不得不做出让步，再也没有去勾那些猴子的魂。

但是，那花果山的猴子是不是就不会死了呢？

绝非那么简单。

若是在生死簿上划掉名字就可以永远不死，那所有的仙人都会跑来狠揍十殿阎罗一顿，然后逼迫他们修改生死簿。

生死簿管辖的寿命是有范围的。这个范围是在神仙以下。也就是说，花果山的猴子可以无病无灾活数百年、上千年，但最后还是会死。因为若他们的寿命再长些，其名字就要进入南斗星君掌握的仙人生死簿中了。

另外，花果山的猴子虽然可以活一千年，但是未必真能活一千年。这些猴子并没有修仙，没有东西吃，还是会饿死的。

所以，花果山那些老猴后来大都死了。当年的四万七千猴兵，只剩下几百（书中说有一千二，可是，这个数目是经过群猴五六百年繁衍后的数目）。

第十六节　七圣聚义

孙悟空回到花果山不久，展示法天象地神通，挥舞金箍棒表演了一番。花果山七十二洞妖王吓得全身筛糠，跪地趴伏。孙悟空遂成花果山之主。

此后，孙悟空遨游四海，访遍千山，广交天下英豪。正是在这个时候，人界七大魔王聚会花果山，结拜兄弟，同称“七大圣”。

说起七大圣，有不少谜团。比如一贯傲视天下英雄的美猴王孙悟空，为何会排名老末？

孙悟空初遇红孩儿时，说自己和牛魔王是结拜兄弟，红孩儿不信。孙悟空说：“那时节，专慕豪杰，你令尊叫作牛魔王，称为平天大圣，与我老孙结为七弟兄，让他做了大哥；还有个蛟魔王，称为复海大圣，做了二哥；又有个大鹏魔王，称为混天大圣，做了三哥；又有个狮狔王，称为移山大圣，做了四哥；又有个猕猴王，称为通风大圣，做了五哥；又有个獝狨王，称为驱神大圣，做了六哥；惟有老孙身小，称为齐天大圣，排行第七。我老弟兄们那时节耍子时，还不曾生你哩！”

在这里，孙悟空亲口承认，自己是老七。

那么，孙悟空为何排名最后呢？

有人说，妖魔的世界，自然讲的是拳头。谁的拳头硬，谁的神通大，谁就当老大。孙悟空最没用，当然排名最靠后。

《西游记》对牛魔王之后的五大圣神通如何，没有详细介绍，无法与孙悟空比较。不过没有关系，原著对牛魔王的神通写得极为详细。

火焰山土地神介绍牛魔王时说：“那牛王神通不小，法力无边，正是孙大圣的敌手。”

孙悟空求牛魔王借铁扇公主的芭蕉扇时，牛魔王大怒说：“你若三合敌得我，我着山妻借你；如敌不过，打死你，与我雪恨！”言语之中，对孙悟空非常轻蔑。孙悟空却说：“哥说得是，小弟这一向疏懒，不曾与兄相会，不知这几年武艺比昔日如何，我兄弟们请演演棍看。”对牛魔王的威胁根本不放在心上。

若当初孙悟空真的是神通最弱，那他听闻牛魔王放如此狠话，一定不敢比试。可孙悟空根本就没有把牛魔王的威胁放在心上。可见，当初结义前后，七大圣虽然知道彼此厉害，但并没有互相斗法。

牛魔王和孙悟空几次斗法的情况，也证明了结义排名并非依据神通大小。

第一次相斗，孙悟空拿金箍棒，牛魔王拿混铁棍。书中写“这大圣与那牛王斗经百十回合，不分胜负”。可见，在格斗技术上，两人旗鼓相当。

第二次相斗，孙悟空变成牛魔王，骑走避水金睛兽，骗过铁扇公主，盗走芭蕉扇。后来，牛魔王得知大怒，变成猪八戒模样，竟从孙悟空手上把芭蕉扇给骗了回来。

书中写道：“好魔王，他也有七十二变，武艺也与大圣一般，只是身子狼剁些，欠钻疾，不活达些。”也就是说，牛魔王同样会七十二变神通（是不是地煞七十二变呢？有可能）。本来，孙悟空有火眼金睛，专破各种幻术。但因为牛魔王变的是八戒，孙悟空没有起一点疑心，自然不会用火眼金睛神通探查。

这次变化之术，本是旗鼓相当，但牛魔王要胜过孙悟空再无可能。下次斗变化之术，孙悟空必定用上火眼金睛。

因此，在拼斗法术方面，孙悟空其实略胜一筹。

第三次相斗，牛魔王使出芭蕉扇，想要吹走孙悟空，不料孙悟空已经服下定风丹。然后，两人继续用兵器相斗，打了一天，不分胜败。猪八戒来了后，把牛魔王打走。然后猪八戒追赶，与孙悟空双斗牛魔王。土地神又说，三界天兵将要来擒拿牛魔王。牛魔王拼死抵抗，竟然和孙悟空、猪八戒又斗了一夜，且不分胜败。因玉面公主带着上百妖兵前来助阵，这次相斗反倒是孙悟空、猪八戒落败。

从这次战斗看，牛魔王不愧是大力牛魔王，持久力、爆发力都超强。当然，牛魔王是为了生存而战，而孙悟空对牛魔王一直念着兄弟情谊，猪八戒则总想着偷懒，故此战斗力一升一降，反倒持平。

第四次相斗，还是牛魔王一挑二。打了一百来个回合，猪八戒火了。书中道："八戒发起呆性，仗着行者神通，举钯乱筑。牛王遮架不住，败阵回头，就奔洞门。"原来，老猪发飙，那也是锐不可当的。从此也可以看出，真正一挑二，牛魔王是根本招架不住的。

牛魔王打不过，变作天鹅飞走。之后牛、孙二人施展七十二变。这次，牛魔王就处处被克制，最终只能化出本体攻击。那牛魔王竟然是一只身高八百丈、体长一千多丈的巨大白牛。孙悟空也用法天象地神通，变成千丈巨猴，与牛魔王斗在一处。

这一战，可谓惊天动地。书中写道："惊得那过往虚空一切神众与金头揭谛、六甲六丁、一十八位护教伽蓝都来围困魔王。"不过，那金头揭谛、六丁六甲只能算是毛神，实力太弱。他们的帮助基本可以忽略，孙悟空仍无法降伏牛魔王。

最终，孙悟空请来天兵天将，牛魔王被化为三头六臂的哪吒一刀将牛头剁下。牛魔王施展法术，牛头长出，哪吒再斩首。连续许多遍之后，牛魔王只能表态说："莫伤我命！情愿归顺佛家也！"

为何孙悟空的手下败将哪吒竟能轻易降伏牛魔王？牛魔王明明被道派的哪吒降伏，为何表态归顺佛家？我们后文再说。

总之，孙悟空和七大圣之首的牛魔王无论是斗体术，还是斗法术，两人可谓旗鼓相当，谁也赢不了谁。也就是说，七大圣中孙悟空神通最弱的说法是不正确的。

那么，孙悟空为何排名最后呢？其实，前文孙悟空已经亲口说出了——"唯有老孙身小，称为齐天大圣，排行第七"。

身小，即身体矮小、瘦小。那么，就应当是牛魔王个子最大，蛟魔王个子次之，美猴王孙悟空个子最小喽。

前面已经说过，孙悟空身高仅仅一米三左右。的确不高！

孙悟空与七大圣结义之后，一时间威名传扬天下，惊动天庭。玉皇大帝派遣太白金星下界，征召孙悟空上天为官，赐封"弼马温"。那么，弼马温是个多大的官？玉皇大帝有没有轻视孙悟空？

第十七节　官封弼马温

孙悟空为何要大闹天宫？起因是玉皇大帝让他当了一个弼马温。很多人都认为，弼马温只是养马的官，玉皇大帝是在歧视孙悟空。

事情真的是这样吗？

孙悟空到东海龙宫强行讨要武器装备，得罪了龙王；到幽冥界划掉自己以及猴类的名单，得罪了冥王。龙王和冥王斗不过孙悟空，就请求三界至尊玉皇大帝主持公道。

按照常理，这样的罪犯是要受到严惩的。玉皇大帝想的，也是直接派兵灭杀。可最终，他采纳了太白金星的建议，以招安的方式，让孙悟空“籍名在箓”，并授予弼马温之职。

孙悟空一开始非常高兴，工作也很卖力。后来，他和属下们喝酒，高兴地询问弼马温是几品官。属下们说没品。孙悟空问，没品莫非是大到了极点？属下们窃笑说，哪里是极大，是根本不入流。孙悟空听不懂，询问什么叫作不入流。属下们回答，就是最低、最小的官，只配给玉皇大帝看马。

孙悟空一听火起，觉得自己偌大本事，竟然给人当马夫，是可忍孰不可忍。结果，他推倒公案，把御马监砸烂，闯出南天门，下界继续做妖王去了。

在许多人的印象中，孙悟空初上天庭受封弼马温，是受到了玉皇大帝莫大的侮辱。其实不然。

孙悟空此次招安上天，得了两个大好处。

一个叫“籍名在箓”，就是名字写在仙界名册上。简单来说，就是在天庭有了神仙编制。

这可不得了！

孙悟空反下天庭，回到花果山不久，就有两个独角鬼王前来投奔。孙悟空问原因。独角鬼王说："久闻大王招贤，无由得见。今见大王授了天箓，得意荣归，特献赭黄袍一件，与大王称庆。肯不弃鄙贱，收纳小人，亦得效犬马之劳。"

独角鬼王这几句话，有真有假。久闻大王招贤是真，无由得见是假，看后一句就明白了。孙悟空与六大魔王结拜，纵横下界已经多年，独角鬼王为何此前不来投靠，偏偏在孙悟空授了天箓才来投靠？因为授了天箓就是正牌神仙，虽然行动受天庭律法约束，但也受天庭保护。

简单来说，其他妖魔再厉害，那都是草根。孙悟空则是正牌仙人。这能一样吗？

后来，二郎神和梅山六圣一起抓到了孙悟空。梅山六圣说，大伙押着妖猴去请功。二郎神说："贤弟，汝等未受天箓，不得面见玉皇大帝。教天甲神兵押着，我同天王等上界回旨。"梅山六圣虽然不算怎么厉害，但总是这次擒拿孙悟空的有功之臣，却因为没有神仙编制，连玉皇大帝的面也不能见。

我们再看看孙悟空，他为天庭立下了什么功劳呢？不但没有一分一毫的功劳，反而搞了不少破坏。对这样的孙悟空，玉皇大帝竟还直接授予天箓。可见，玉皇大帝还是看得起孙悟空的。

更为关键的是，这弼马温，不但不是一个小官，反倒是个大官。

我们看原著，玉皇大帝询问有何职务空缺，武曲星官禀奏：

“天宫里各宫各殿，各方各处，都不少官，只是御马监缺个正堂管事。”从此可知，御马监应当等同一宫一殿一方一处，也就是说，是天庭直属部门的正职长官。

我们再看御马监衙门的设置。孙悟空并非光杆司令，还有不少下属——监丞、监副、典簿、力士、大小官员人等。大家看看，这御马监有着一整套人马，弼马温下面还管辖着四个等级的仙人呢。

书中也写得明白：

“这猴王查看了文簿，点明了马数。本监中典簿管征备草料；力士官管刷洗马匹、扎草、饮水、煮料；监丞、监副辅佐催办。弼马昼夜不睡，滋养马匹。日间舞弄犹可，夜间看管殷勤，但是马睡的，赶起来吃草，走的捉将来靠槽。那些天马见了他，泯耳攒蹄，都养得肉肥膘满。不觉的半月有余。”

孙悟空本人根本不必养马，就连手下的监丞、监副、典簿都不需养马。他们都是仙界的官员，只要动动嘴即可。真正喂马、做马夫的，是力士。

我们再对照下现实社会中的御马监。

历代以来，为皇帝管理马匹的单位叫作太仆寺。长官太仆，乃是九卿之一。没错，正是三公九卿的九卿之一。宋朝，管理马匹的机构改叫群牧司，长官叫作群牧使，包拯就曾经担任这个职务，而王安石和司马光曾担任群牧司判官。宋朝的群牧使，可是仅次于副宰相的高官。

明白了吧，弼马温的官品其实挺大的。也正因为如此，当孙悟空闯出南天门时，守卫南天门的四大天王都没有阻拦。因为这四个仙人虽然号称天王，其实就是天宫的保卫科长，比弼马温官品可小多了。

那为什么御马监的属官都说弼马温官小呢？

要知道御马监本就有监丞、监副、典簿。这些人和四大天王一样，在同样的职务上干了千百年，好不容易熬到一把手出了空缺，大家都想着挨个升官，却没想到上面直接派了一个孙悟空下来。

大家可以想象，这伙人该多么郁闷。于是，御马监的属官们联手欺骗孙悟空，激怒孙悟空。孙悟空自个儿走了，下回总该从御马监内部提拔了吧！这样，御马监监丞升弼马温，监副升监丞、典簿升监副……好多仙人都可以升官。

总之，在受封弼马温的问题上，孙悟空其实是捡了大便宜而不自知。

因为对官制的无知，孙悟空反下天庭。之后，孙悟空“自封”齐天大圣，开始了反天之路。其实，孙悟空本无意造反。每当关键时刻，总有一个神秘的推手在撩拨、在怂恿、在唆使孙悟空造反。孙悟空只是他人运作中的一枚棋子。

这个神秘的幕后推手正是太上老君。只是，太上老君远在三十三重天外，他是如何保证孙悟空会依照他的计划行走的呢？

因为，他在孙悟空身边安插了不止一个奸细。正是这些人在孙悟空的每次犹豫徘徊时献言献策，最终将孙悟空推上了天庭的对立面。

第十八节　猴中奸细

孙悟空本无造反之意，可是在这些人的推动下，不知不觉间已经势同骑虎，难以回头了。

花果山中的头号奸细，就是通背猿猴。

在孙悟空的修仙之路中，通背猿猴是第一位引导者。可以说，若无通背猿猴的指引，孙悟空即便有心修道也求助无门。毕竟，仙凡有别，普通猴子是根本无法接触到修仙界的。

可是，通背猿猴不但告诉孙悟空有三种人可以长生不老，并且指引孙悟空，仙人就在深山古洞之中。孙悟空没有停留在东胜神洲求仙，而是泛舟南下，远走南赡部洲，渡海来到西牛贺洲，最终寻到古老森林中的斜月三星洞。一切仿佛自然，仔细想来，却都是冥冥中自有安排。

通背猿猴的指引工作并没有就此停止。

孙悟空修仙荣归，回到花果山，斩杀了混世魔王。孙悟空提出，我等在此操练兵马，若是惊动了人王、兽王，说猴群练兵造反，前来征讨，可群猴只有竹木刀剑，没有法子对敌，不知道到何处才能找到大量兵器，武装群猴。

群猴一听，个个惊恐，不知道如何是好。此时，四老猴（两个赤尻马猴、两个通背猿猴）告诉孙悟空，这事一点儿也不难。距离花果山东方两百多里水路外，有一个傲来国，国中军民无数，必然有铁匠铺。四老猴提出，孙悟空若去傲来国，必然可以买到或者制造一些兵器，以保卫花果山。

之后，孙悟空果然前往傲来国，抢来了许多兵器。但因为是抢来的，也从此惹出祸端，积下仇恨。

此处虽然写的是四老猴共同谏言，其实，八成是先前那见多识广的通背猿猴提议的。那老猴很聪明，知道处事当不露痕迹，尽量低调。若处处都是他一个人出风头，难保不会被孙悟空怀疑。

所谓大隐隐于朝，小隐隐于野。隐藏在众人之中，才是最安全的。

群猴有了兵器，欢喜无限，孙悟空本人却有些苦恼。他只有一口从混世魔王处抢来的普通魔刀。

这时候，又是四老猴建议说："大王乃是仙圣，凡兵是不堪用，但不知大王水里可能去得？"孙悟空说自己水火不侵，下水自然没问题。于是，四老猴说出了一个惊人的秘密："大王既有此神通，我们这铁板桥下，水通东海龙宫。大王若肯下去，寻着老龙王，问他要件什么兵器，却不趁心？"

四老猴能说出这番话，大有问题，不得不让人怀疑他们的真实身份。

身为水帘洞洞主的孙悟空都不知道的秘密，四老猴凭什么知道？

按照书中所写，水帘洞前有一重水幕，从外面根本看不出里面有山洞。千百年来，孙悟空是第一个跳入水帘洞之猴。自然，通背猿猴等四老猴比孙悟空要晚些。

之后，群猴都生活在水帘洞中，一晃两三百年，从没有人提过铁板桥下有秘道的事情。那么，有没有可能，这秘道是在孙悟空前往修仙到返回花果山的这二十年间发现的呢？

没有可能。

因为四老猴询问孙悟空的第一句话是："但不知大王水里可能去得？"换言之，群猴是去不了水里的。即便可以在水下勉强来个狗刨式，但绝不能一直潜水，在水下走数十里、数百里，一直走到东海龙宫。

也就是说，花果山群猴根本不可能靠自己的力量，发现水帘洞铁板桥下通往东海龙宫的秘密通道。

那么，只有一种可能：这消息是别人告诉他们的。

最合理的推测是太上老君告诉了通背猿猴，通背猿猴再告诉其他三猴，再共同向孙悟空建议。

当孙悟空上天当了弼马温后，群猴在四老猴的带领下日夜操练。十来年后，孙悟空返回，群猴拜见。群猴都说："恭喜大王，上界去十数年，想必得意荣归也？"孙悟空疑惑说："我才半月有余，那里有十数年？"群猴道："大王，你在天上不觉时辰。天上一日，就是下界一年哩。"

其实，原文中的"群猴""众猴"都应当是四老猴，或者说都是通背猿猴。

再者，在孙悟空偷了蟠桃后，回到花果山，四老猴迎接叩拜说："大圣在天这百十年，实受何职？"孙悟空笑道："我记得才半年光景，怎么就说百十年话?”四健将道：“在天一日，即在下方一年也。”

原来，以通背猿猴为首的四老猴，不但知道何处有仙人，不但知道铁板桥下有秘道，还知道天上一天、地下一年的秘密。要知道，孙悟空修成天仙已经许多年了，并且交往的那可都是神仙。悟空不知道的事，四老猴却知道。这不是很奇怪吗?

当然，作者如此写，也是借助四老猴之口，反复告诉读者，千万不要忘记他为西游世界做出的这个古怪规定。

还有一点很奇怪：当孙悟空离开一百六七十年后，回到花果山的第一眼，看到了什么呢? 原文说：“但见那旌旗闪灼，戈戟光辉，原来是四健将与七十二洞妖王，在那里演习武艺。”

孙悟空是上天享福去了，不是闹事去了。人间的群妖看在孙悟空的面子上，谁也不敢来招惹花果山。可是，花果山群猴在四老猴的带领下，完全没有一点儿骄傲自满。从孙悟空第一次上天，接受天庭封号，一晃将近两百年过去了，可是花果山群猴依然是警惕性十足，在四老猴的带领下日夜操练。

要知道，横扫中原的八旗兵，在入关后不到三五十年就腐朽不堪。康熙年间平三藩时，大清就只能依靠汉人的绿营兵了。

可是，花果山的猴兵经过近两百年，依然斗志不衰，日夜厉兵秣马，操演武艺。这是因为啥?

因为通背猿猴早就知道，孙悟空迟早要大闹天宫，花果山迟早要和天庭一战。为了花果山，为了群猴，更为了自己活命，他必须时刻准备着。

第十九节　巨灵底气

孙悟空竖起“齐天大圣”反旗后，玉皇大帝派出托塔天王李靖下凡征讨。李靖是主帅，自然不会轻易出马。他派出的第一个神仙叫作巨灵神。第一战是巨灵神大战孙悟空。此战毫无悬念，孙悟空以绝对优势获胜，初战即显露出强大实力。之后，孙悟空战哪吒、战九曜、战二十八宿、战二郎神……孙悟空“齐天大圣”的威名传遍三界。

孙悟空为何能够成就大闹天宫的名声？其中到底有何猫腻？

我们先仔细看看天庭征讨花果山第一战中巨灵神的表现。

在遇上孙悟空之前，巨灵神自信满满，原文也说：“巨灵名望传天下。”那么，是不是巨灵神很厉害呢？

巨灵神见到孙悟空，第一句话说：“那泼猴！你认得我么？”言下之意，我好厉害的，你应该认得我。

巨灵神为何如此自信？因为他此前多次征战，确实很少败绩。

是巨灵神很厉害吗？根本不是。巨灵神和孙悟空一番交战，书中没有明确说打了几个回合，但应该是两三个回合，极有可能是两个回合。一开始，巨灵神举起斧头砍去，孙悟空抬金箍棒抵挡。随即，孙悟空举金箍棒砸下，巨灵神以斧迎上，结果“扢扠”一声，“把个斧柄打成两截，急撤身败阵逃生”。

那么，巨灵神之败，是不是仅仅因为斧头柄不结实——武器不行呢？不是的。书中说得明白：“大圣轻轻抡铁棒，着头一下满身麻。”孙悟空只是轻轻举棒打下，巨灵神就已经全身发麻。正因为双臂无力，才导致武器被砸坏。

这一棒，显示出孙悟空和巨灵神之间的巨大差距。

巨灵神的实力如此不济，为何还能建立不少战功，名声传遍天下呢？

一来，此前巨灵神剿灭的都是一些不成气候的寻常妖怪。

比如，让巨灵神去打白骨精还是绰绰有余的，打七十二洞妖王估计也能占据上风，还能打取经路上的寅将军、花蛇精等。总之，那种在孙悟空棒下一个回合都走不了的妖怪，巨灵神都可以收拾——这种级别的妖怪，其实才是西游万妖的主流。

二来，巨灵神代表的是天庭势力。

我们看巨灵神如何介绍自己：“我乃高上神霄托塔李天王部下先锋，巨灵天将！今奉玉皇大帝圣旨，到此收降你。你快卸了装束，归顺天恩，免得这满山诸畜遭诛。若道半个不字，教你顷刻化为齑粉！”

巨灵神的口气为何如此牛气？首先，他是托塔天王李靖的心腹爱将。李靖虽然在天庭仅是个二三流神仙，但也算是有头有脸，并且家庭背景很强大，因此人脉极广。三界群妖，多半会给李靖一点面子，自然，多少也会给巨灵神一丁点面子。其次，巨灵神乃是奉了玉皇大帝旨意下凡“剿匪”，代表的乃是天庭官方。看巨灵神所说，妖怪见了他若是投降，那可以放过其他亲族；若是顽固不化，那全家遭殃，有灭族之祸。

有天庭作为后盾，也难怪连水平渣渣的巨灵神口气都如此牛。

巨灵神使用这一招估计很多年了。可以想见，在许多地方，这一招都好使。毕竟三界都归天庭管辖，再牛的妖怪也不敢公然对抗天庭。可是，巨灵神悲催了，他偏偏碰上了孙悟空。而孙悟空恰恰是个愣头青。

孙悟空大闹天宫，前后三次与天兵天将大战。他曾经独战九曜星君，一人就把九位地仙级天庭实力派打得“筋疲力软，一个个倒拖器械，败阵而走”。可奇怪的是，孙悟空与二郎神斗法，却处处被克制，就连与佑圣真君麾下的王灵官单挑，也只战了个胜败未分。

那么，孙悟空的实力究竟如何呢?

第二十节　悟空实力

我们首先要弄清楚，哪些仙人与孙悟空是真打，哪些人是假打。其次，真打的话，孙悟空打赢了哪些人。

第一，战巨灵神。

第一次，玉皇大帝派托塔李天王带领本部人马征讨花果山。由先锋大将巨灵神出战，他口放狂言，丝毫不把孙悟空放在眼中。这自然是真战。

孙悟空劈头一棒，打得巨灵神全身酥麻，还把他格挡的斧头柄直接打成两截。巨灵神大惊，转身就逃。猴王笑道："脓包！脓包！我已饶了你，你快去报信，快去报信！"

可见，巨灵神与孙悟空实力差距太大，一下就被孙悟空击溃。

第二，战哪吒。

书中道，哪吒见孙悟空竖起"齐天大圣"旗子，生气地说："这妖猴能有多大神通，就敢称此名号！不要怕，吃吾一剑！"两人此前根本不认识，自然也不必作假。

哪吒直接变出三头六臂真身，与孙悟空全力一战。孙悟空也变作三头六臂迎上去。两人大战三十个回合，不分胜负。孙悟空拔一根毫毛，变成自己，假做撤退，真身却隐身到哪吒身后，一棒打中哪吒左胳膊。哪吒败阵而去。

虽然孙悟空有偷袭之嫌，却也证明哪吒变化之术远不如孙悟空。

可见，论体术，哪吒至少可以抵挡孙悟空三十个回合。而论法术，哪吒完败。

第三，战九曜星。

孙悟空偷蟠桃、闹宴会、偷金丹后，玉皇大帝大怒，派遣托塔李天王率领十万大军征讨花果山。其中，仙界赫赫有名的大仙有二十八宿、九曜星官、十二元辰、东西星斗、南北二神、五岳四渎，其他杂仙有五方揭谛、四值功曹、普天星相。

在这次出征的仙人中，地位最高的是九曜星君。我们回顾一下仙界的顶级存在，有三清、四帝、五老、六司（南斗六星君）、七元（北斗七星君）、八极（坎、离、克、震、巽、乾、坤、艮八个方位的仙人，具体不详）、九曜、十都（十殿阎罗）。这之后自然还有其他仙人，比如十二元辰、二十八宿。

原著诗句中也明确点出了九曜星君的具体身份：日曜星君、月曜星君、火曜星君、水曜星君、木曜星君、金曜星君、土曜星君、罗睺星君及计都星君。

九曜个个实力强劲，为何群战却被孙悟空击败呢？

因为九曜星君是在假打。

九曜星君是孙悟空的熟人。

金曜星君就是金德星君、太白金星。此老为人最是和善，孙悟空又是他两次引荐上天。孙悟空两次反天，都是因为天庭不重视他。第一次时天庭让人家看马，第二次时天庭请了诸天神佛，就是不请齐天大圣，也难怪孙悟空会生气。后文两人相遇时，孙悟空就责备太白金星将他诓骗上天，受到侮辱。因此，太白金星在面对孙悟空的时候，很不好意思。

那其他人和孙悟空熟不熟呢？熟，太熟了。

在受封齐天大圣后，孙悟空遍游仙界，和许多人都成了好朋友。书中道："与那九曜星、五方将、二十八宿、四大天王、十二元辰、五方五老、普天星相、河汉群神，俱只以弟兄相待，彼此称呼。今日东游，明日西荡，云去云来，行踪不定。"

虽然说孙悟空与诸天神仙都是朋友有点夸张（比如五方五老，人家就不大爱搭理孙悟空），但他与太白金星等九曜星、南天门四大天王关系不错，却是事实。十二元辰、二十八宿、普天星相、河汉群神地位远不如齐天大圣孙悟空，可孙悟空没一点架子，都是平辈论交。大家一起相处了一百六七十年，关系自然差不到哪里去。

于是，在群战时，九曜星君集体放水，十二元辰、二十八宿光拿七十二洞妖王，一个猴子也不抓，就很好理解了。

第四，战惠岸。

观音前来天庭吃蟠桃，没吃到。听到孙悟空在闹事，她主动推荐弟子惠岸出手。

惠岸与孙悟空大战五六十回合，结果“臂膊酸麻，不能迎敌，虚幌一幌，败阵而走”。可见，惠岸也不是孙悟空对手。

那哪吒和惠岸谁厉害？不好说。

第五，战二郎神。

观音推荐二郎神，玉皇大帝同意。

书中写道：“真君与大圣斗经三百余合，不知胜负。”两人的格斗之技应当相等。后来，因为梅山六圣和三千草头神进攻水帘洞，猴兵猴将被抓，孙悟空后撤，想回洞中看看。二郎神追击，两人开始斗法。在原著中，真正提到会七十二变的只有两个人，一个是孙悟空，一个是牛魔王，没有提到二郎神。但是，二郎神有第三只眼，动不动就“凤目圆睁”，看破孙悟空的幻象，因此，在斗法时孙悟空处处被克制。

也就是说，体术相斗，两人相同；法术相斗，孙悟空略逊一筹。

但是，孙悟空还有一项本领——筋斗云。其飞行速度，二郎神根本比不上。因此，孙悟空战二郎神，其实是立于不败之地。

孙悟空后来被抓，则是因为被太上老君的金刚琢砸了一个跟斗。因砸得太重，孙悟空晕晕乎乎来不及起身，才被二郎神擒获。

总之，孙悟空、二郎神两人各有所长，算是平手。

第六，战王灵官。

天庭刀砍斧剁、雷击火烧孙悟空无效后，太上老君把孙悟空要去，放在八卦炉中炼化。七七四十九天后，孙悟空蹬倒丹炉，打到天庭。

书中道：“那猴王不分上下，使铁棒东打西敌，更无一神可挡。只打到通明殿里，灵霄殿外。幸有佑圣真君的佐使王灵官执殿。他看大圣纵横，掣金鞭近前挡住道：‘泼猴何往！有吾在此，切莫猖狂！’这大圣不由分说，举棒就打，那灵官鞭起相迎。”

为何孙悟空如此无敌？是孙悟空变厉害了吗？不完全是。

后文寿星曾经提到这段经历，大意说，大家听闻孙悟空被太上老君拿去炼化，都觉得一场大祸终于结束。谁会想到孙悟空还能逃出丹炉，大闹天宫呢？

因此，孙悟空在天庭毫无防备的情况下，逼近灵霄宝殿，也是可以理解的。而灵霄宝殿前面一重殿阁，是通明殿。王灵官值班，恰逢其会，职责所在，于是和孙悟空大战。

书中写二人斗在一处，胜败未分。当然，胜败未分并非没有胜败，而是短时期还没有分出高下。随即，佑圣真君（北方真武大帝）赶到，连忙调遣雷部三十六员神将前来，替下王灵官。王灵官是佑圣真君麾下五百灵官之首，乃佑圣真君爱将。此次换将可以看出，王灵官还是不如孙悟空的。

那么，这个佑圣真君是个什么级别的仙人呢？书中写到，此人与天蓬、天佑、翊圣共称北极四圣。大家注意到了吧，佑圣真君乃是和天蓬元帅猪八戒同一个级别的。王灵官仅仅是佑圣真君的手下。

总之，孙悟空战王灵官，短时期平手是事实。

从以上六次单挑中，我们可以看出，孙悟空的战斗水平其实一般，逃跑技术却超过绝大多数仙人。有人说，孙悟空可以排进西游世界前十名。这是太看得起孙悟空了。他的水平，也就和二郎神相当，比九曜星君单个要强些，差不多是八极的水平。

总之，孙悟空这水平，闹事可以，造反不成。

第二十一节　再次招安

孙悟空大闹龙宫，搅乱幽冥时，虽然没有公开竖起反旗，但行为已经严重扰乱了三界正常秩序。扰乱秩序，就是挑战天规戒律。挑战天规戒律，就是藐视天庭之主玉皇大帝。玉皇大帝要想维护自己至高无上的威权，本应当痛下杀手，他为何不在孙悟空有造反苗头之初，就施展雷霆手段，将孙悟空灭杀呢？

若玉皇大帝御驾亲征，以玉皇大帝的神通，完全可以秒杀孙悟空。可是，玉皇大帝没有这么做。他不但没有主动出击，反而一再退让，先赐孙悟空仙箓，封弼马温，后来更晋封孙悟空为齐天大圣，官品极大。这是为什么呢？

莫非玉皇大帝是昏庸之君，抑或是脑袋烧糊涂了？

表面的原因，是因为太白金星的劝阻。看原文：

“太白金星说：‘上圣三界中，凡有九窍者，皆可修仙。奈此猴乃天地育成之体，日月孕就之身，他也顶天履地，服露餐霞，今既修成仙道，有降龙伏虎之能，与人何以异哉？臣启陛下，可念生化之慈恩，降一道招安圣旨，把他宣来上界，授他一个大小官职，与他籍名在箓，拘束此间。若受天命，后再升赏；若违天命，就此擒拿。一则不动众劳师，二则收仙有道也。’玉皇大帝闻言甚喜，道：‘依卿所奏。’”

太白金星的禀奏到底高在何处，让玉皇大帝一听就非常高兴呢？

太白金星讲了两个理由。

其一，不用劳师动众。所谓兵马未动，粮草先行。一旦大军征伐，就需要海量钱粮。天兵天将们也是要发工资的，西游世界的神仙也是要吃饭的。招安的方法若是可行，就可以节约一大笔开支。所谓“不当家不知柴米贵”，作为一名合格的帝王，自然明白其中的利弊。汉唐时期的和亲，宋朝的岁币，也都是以这种退守的方式换取和平。

其二，可以体现收仙有道。西游世界，不仅人类可以修仙，所有拥有九窍的族群都可以修仙。虽然在实际情况中，人类修仙者由于体质原因，在修仙速度上大大快于其他族群，但因为三界之中始终保有这条渠道——只要修仙有成，达到一定级别，就可以拥有仙策，所以三界万族才对天庭恭顺有加。若把这条道路堵死，许多族群就会选择背叛。

这就像是隋唐的科举制度。虽然说隋唐时期以科举进入仕途的官员在全体官员中只是一小部分，但因为有这条渠道存在，就使得万千普通民众有了希望，而有了希望，就少了许多怨念。

深层次的原因，则是因为主张招安的乃是太白金星。

太白金星是九曜星之一。九曜星在天庭官品不是很高，上面还有六元、七司、八极，但是九曜星的权限很大。比如说，水德星君就统管三界各级水神，火德星君统管三界各级火神。单单这两个星宿管理的神祇，就占据了中下层仙人的很大一部分。

太白金星更是天庭中文官领袖，资格老，威望高，其言语不容小视。而太白金星背后代表的太上老君势力，更让玉皇大帝畏惧三分。

既然太白金星主张招安，那就意味着天庭有很大一部分仙人主张招安。玉皇大帝若公然驳回，很容易激化矛盾。最合理的做法，就是先同意太白金星的主张，然后静观其变。

这个变数，就是孙悟空。

人性总是不知足的。孙悟空虽然是猴，也逃不脱这个规律。孙悟空初次听闻太白金星下凡，很是欢喜，说：“我这两日正思量要上天走走，却就有天使来请。”孙悟空自认为在凡间已经闯出了偌大名头，要想再进一步，就只有上天了。可是他没有想到，其实龙王也好，冥王也罢，在三界之中只是中下层的小神仙。单凭闹龙宫、闹幽冥这点战果，他在天庭是根本吃不开的。

当心中期许和现实获得形成巨大落差时，人就会受不了了。孙悟空本以为弼马温乃是大到极品的官职，但后来在属下口中得知，那只是一个没有品级的养马的官。孙悟空顿时暴走。而反下天庭，再求进步，就成了必然。

应该说，玉皇大帝对这类凡间妖王的心性，看得一清二楚。

更何况，招安有利也有弊，一味地招安，其实弊大于利。最大的弊端，就是会引发野心家的效仿。

其他妖王看到孙悟空大闹龙宫、搅乱冥界，不但没有受到惩罚，反倒升上天界，当了仙官，他们会如何想？他们势必以孙悟空为榜样，群起效尤。如此一来，三界秩序何在？玉皇大帝威权何在？

不过，虽然招安有如此多的弊端，玉皇大帝最终还是答应了太白金星的主张，并且是笑意盈盈，貌似很开心地答应了。

一方面，玉皇大帝明白人心不足，孙悟空必然不甘于养马。一旦孙悟空反下天庭，玉皇大帝就有理由正式派出兵马剿灭。到那时，就算是太上老君，也不好意思出面劝阻。

另一方面，玉皇大帝手中掌握万仙，虽然天庭时常会冒出一些不同声音，但大局依然掌控在玉皇大帝手中。凭借天庭的势力，小小花果山妖王孙悟空，能掀起什么风浪？玉皇大帝有足够的信心收拾孙悟空。

只是，在派出十万天兵之后，玉皇大帝才大吃一惊地发现，天庭竟然有那么多的仙人不听招呼。花果山的水，实在太深！

不过，兵来将挡，水来土掩。在困难面前，玉皇大帝自然不会退缩。

可能一些读者把玉皇大帝看成一个只知道高喊“快去西天请如来佛祖”的窝囊废，其实，原著中的玉皇大帝不但精通权谋，更是大权在握。即便是降伏了妖猴的如来佛，在面对玉皇大帝使者天蓬（猪八戒）、天佑时，也要谦恭地表示：“老僧承大天尊宣命来此，有何法力？还是天尊与众神洪福。敢劳致谢？”

那么，玉皇大帝凭啥超越万仙，成为三界至尊？

第二十二节 玉帝至尊

通明殿前，孙悟空叫嚣道：“皇帝轮流做，今年到我家。只教他搬出去，将天宫让与我，便罢了；若还不让，定要搅攘，永不清平！”

在西游世界中，无论是大鹏雕，还是牛魔王，顶多是在一方称王称霸，从不敢说要夺玉皇大帝宝座，觊觎天帝权位。就算是太上老君，心中对玉皇大帝恨之极矣，可也得装作恭顺，口称老臣。

我们可以说孙悟空初生牛犊不怕虎，也可以说猴哥无知者无畏，但谁也无法否定，猴哥的胆气堪称三界第一人。

那么，玉皇大帝究竟有何资本让他可以号令万仙，成为天庭之主呢？

原著中，如来与孙悟空的一番对话，揭露了真相。

如来呵呵冷笑说：“他自幼修持，苦历过一千七百五十劫。每劫该十二万九千六百年。你算，他该多少年数，方能享受此无极大道？你那个初世为人的畜生，如何出此大言！”

在如来看来，玉皇大帝能稳坐天庭宝座，一个重要原因是玉皇大帝寿元悠长，长达两亿多年。

长到怎样一个地步呢？天地之间每十二万九千六百年就会遭遇一次大劫难，那时节，天崩地裂，沧海桑田。别说是凡间的人类以及那无数的鸟兽虫鱼会死于劫难，就算是那些高高在上、号称与天地同寿的天仙，也大都要在劫难中陨灭。真正能够扛过大天劫的，只有天尊以上的高手，以及少部分实力强悍的天仙。天仙之下，唯一能存活的，就是地仙之祖镇元子。

扛过一次大天劫，已经足可自傲，而玉皇大帝呢，却经过了一千七百五十次大劫。

孙悟空闻言，不服气地说：“他虽年劫修长，也不应久占在此。”孙悟空毕竟太年轻了，因为学习了地煞七十二变，轻松躲避了神仙三灾，却根本不知道大天劫意味着什么。

比如说，修仙者到了神仙级别，理论上就已经拥有了五千年的寿命。不过，是不是每一个神仙都可以活五千年呢？不是。有人可以活三千年，有人估计一千年就死了。那些早死的，可能是抗不过雷、火、风三劫，也可能是被仇家杀死。

玉皇大帝能活两亿多年，其根本原因不是他寿元悠长，而是他法力通天。若没有超强的神通，即便有超越天地的寿命，又怎能扛过大天劫？

可惜，因为身份所限，玉皇大帝一直没有出手，让我们无法正面了解到玉皇大帝的神通。

不过，修仙界以实力为尊。没有足够强大的神通支撑，玉皇大帝绝对不可能坐上天庭之主的宝座。

当然，除了神通强大外，蟠桃是玉皇大帝能牢牢掌控皇权的关键。

在第五回中，有一首诗正面描述蟠桃，如下：

"夭夭灼灼，棵棵株株。夭夭灼灼桃盈树，棵棵株株果压枝。果压枝头垂锦弹，花盈树上簇胭脂。时开时结千年熟，无夏无冬万载迟。先熟的酡颜醉脸，还生的带蒂青皮。凝烟肌带绿，映日显丹姿。树下奇葩并异卉，四时不谢色齐齐。左右楼台并馆舍，盈空常见罩云霓。不是玄都凡俗种，瑶池王母自栽培。"

在诗中，我们可以发现这样几点玄机。

其一，瑶池王母拥有蟠桃的专利权。

世上的桃子千千万，可是，蕴含强大仙力的只有瑶池王母亲自栽培的蟠桃树。

孙悟空初次进入蟠桃园，土地神一一介绍。他告诉孙悟空，前排的小蟠桃，吃一颗可以成仙了道，体健身轻。中排的中桃，吃一颗可以霞举飞升，长生不老。后排的大桃，吃一颗可以与天地齐寿，日月同庚。西游世界天地寿命是十二万九千六百年，那大桃的效力至少等同这个数。

其二，蟠桃不但效力奇高，并且产量颇丰。

最牛的是，王母娘娘这栽培技术已经非常成熟，已实现了批量化生产。大、中、小三种类型的桃树，每一种都有一千两百棵。

像那人间的地仙之祖镇元大仙仅仅拥有一棵人参果树，不过结了三十个人参果，吃一个人参果不过延寿四万七千年，其效力远远不如大蟠桃。

原文中虽然没有说每棵桃树上结多少个桃子，但从“棵棵株株果压枝”来看，那是放眼望去到处是桃。这可不像人参果树，好大一棵树，才三十个果子，非得到处找才看得到。

并且，这蟠桃的成熟并非到了年头就一起成熟，没到时间就一个都不熟。诗中说得明白，是“时开时结千年熟”，也就是每个桃子按照它被摘下的日子算起，到固定的年份，又会再次成熟。这就保证了每隔三百六十年举行一次蟠桃会时，每次都有新鲜的桃子成熟。

不过，我们也注意到这蟠桃的所有权属于王母娘娘。为何王母娘娘的蟠桃会成为玉皇大帝掌控万仙的关键呢？

这就要说到王母娘娘与玉皇大帝的关系了。

第二十三节　王母身份

瑶池王母和玉皇大帝是什么关系呢？

在传统神话中，西王母和玉皇大帝没有半分关系。可是，在《西游记》中，王母娘娘和玉皇大帝关系亲密。原文七仙女说：

“我等奉王母懿旨，到此摘桃设宴。”在《西游记》中，玉皇大帝乃三界至尊，他的命令就是圣旨。王母的命令称为“懿旨”——一般皇后或者太后的命令被称为懿旨——这即证明王母或者是玉皇大帝的妻子，或者是玉皇大帝的母亲。

那她究竟是玉皇大帝的母亲，还是妻子呢？后文中观音拜见玉皇大帝，原文说：“菩萨引众同入里面，与玉皇大帝礼毕，又与太上老君、王母相见，各坐下。”

若王母是太后身份，观音拜见时，当先叩拜王母，再拜玉皇大帝，再与太上老君行礼。毕竟中国自古以来就讲究孝道。即便是正式场合以皇帝为尊，那也应当先拜玉皇大帝，再拜王母，最后见太上老君。

从观音最后参拜王母看，王母只可能是皇后身份。

西游世界虽然是虚幻的神仙世界，但是其礼仪官制处处有现实的影子。

在西游世界，所有的仙人都在与天争命。虽然他们已经拥有了悠久的寿元，但人人都盼望着活得更久。于是，取经路上不少妖怪都跑来抓唐僧。虽然说大家都是道听途说，唐僧肉的效力也是一个谜——有的说可以延寿千年，有的则说可以延寿万年，但是即便只能延寿百年、千年，那些草根妖怪也不愿意放过。

西游世界还有不少女妖，迷恋嫁给唐僧。说到底，还是为了长生。吃块肉，可以延寿千年，而取唐僧元阳，更有机会修成太乙金仙，寿命直接爆表。这是何等丰厚的回报！

为了那缥缈的希望，一拨拨男妖女妖你方唱罢我登场，前人付出了血的代价，后面的依然兴冲冲奔来。

虚假的唐僧肉都有这等魔力，更不要说蟠桃了——效力那是巨大的！

于是，三界各种大仙，有身份的或者自觉有身份的，无不对玉皇大帝趋之若鹜。每三百六十年一次的蟠桃会，成为三界之中顶级盛会。每次蟠桃会上，小气的王母只是拿出七篮子蟠桃待客。虽然能吃到桃子的永远都是极少数，但只要有那么万分之一的希望，大家都会自觉聚拢在玉皇大帝与王母的周围。

三清、四帝、五老级别不用说，每次大会都有蟠桃享受。从六元到十都级别仙人也不错，有可能吃个中桃，也有可能吃个小桃。而十都之下就难说了，也许可以吃个小桃，但更可能轮空。估计千年等一回的事情，在这些仙人中会经常发生。作为天蓬元帅的猪八戒和卷帘大将沙和尚，虽然都吃过蟠桃，但仅仅是吃过，而不是每次开会都有的吃。

玉皇大帝与王母有三千六百棵蟠桃树，为何每次只拿出七篮子蟠桃待客？

只因为，少，就珍贵；滥，就便宜。

越是难以得手的东西，人们越是会珍惜。虽然蟠桃产量高、效力大，但若是普通天兵天将都能品尝到蟠桃，那玉皇大帝还凭什么统领三界？

那多余的桃子怎么办？玉皇大帝和王母难道不会吃吗？对三清、四帝也会敞开了供应。越是不需要靠蟠桃延寿的仙人，玉皇大帝越是要分发给他们蟠桃。若是还有多的，则全部销毁。

没有吃到桃子的想吃桃子，吃到小桃的想吃大桃，吃到了大桃的想吃更多大桃——正因为仙人们也有欲求，天庭虽然存在一些反对派，但玉皇大帝依然牢牢坐在天帝宝座上。

只要玉皇大帝、王母拥有蟠桃，只要他们的栽培技术没有泄露，任何人都很难撼动玉皇大帝的地位。

或许有读者会说：为何玉皇大帝有桃子就可以控制神仙呢？神仙不吃桃子行不行？

这个问题看似简单，其实挺复杂。其中的关键，牵涉三界之中最大的隐秘。

第二十四节　神仙隐秘

神仙和凡人，因为能力的不同，追求的目标也就不同。

人类因为生命短暂，能力低微，追求的无非是金钱、名利，满足的大都是口腹之欲。极少数有大情怀的人，则以苍生为念，身虽腐朽，名却长存，实现了另一种意义的长生。

仙人则不同，因为他们寿命很长，能力高强，俗世的金钱、名利唾手可得，这些东西在他们眼中也就视之如敝屣，并不看重。

仙人也有追求权势、追求名利的。不过，获得更大的权势、更多的名利，归根到底还是为了占据更多的资源，以保证自己的长生。

没错，拥有了长生的仙人，最渴望的，依然是长生。

不死的仙人，最害怕的，依然是死亡。

这并不矛盾。

因为，仙人的长生只是相对凡人而言。

凡人一生不过百年，活两三百岁者如观音禅院老院主，已经算是老神仙（老妖精）了。比丘国的国王吃了寿星的火枣，据说也得了长生，其实不过是延寿两三百年而已。

活一千年，对凡人而言，已经是绝对的仙。只是，这种寿命的仙，在真正的仙界，只是垫底的存在。

活万年，在人类眼中几乎是极限。可是，在仙人中，地仙就可活三五万年，而这种仙人只能算是仙人中的中层。

真正站在巅峰的，是天仙，他们与天地同寿，寿命悠长。

按照常理，仙人们不应当担心自己会死。可是，在仙人之上，还有连至强仙人，如三清、四帝、五老，都无法操控的力量——天地规则存在。

天地规则的存在，让无数仙人战栗、恐惧，时刻担心自己的死亡。天地规则是有生就有死，有舍方有得。如此，才能保持天地的平衡。

修仙，追求长生，超脱轮回，本身就是逆天而行，天地法则必定要通过某种方式去拨乱反正。

修仙之初，天地首先会降下三灾，绝大多数神仙和普通妖怪，都会在三灾中化为灰烬，进入轮回。而熬过三灾后，还有更多更难的考验。

人类修成仙人后，多数会被天庭征召上天，名分上拥有了仙箓（仙人编制）之后，可以获得相应的俸禄回报，但是在得到好处的同时，他们必须承受“天上一日，地上一年”的天地规则。

什么意思？

就是一个神仙虽拥有三五千年寿命，可一旦上天，在天界只能存活十余年。比如那众多的天兵天将、宫娥彩女，他们在天界的十余年间，若不能获得机缘，从神仙级别突破到地仙级别，就将寿元耗尽而死。

即便是一个天仙，理论上拥有数十万年的寿命，但天地每隔十二万九千年就毁灭重生一次，绝大多数天仙，除了镇元大仙之外的全部地仙、神仙、人仙、鬼仙乃至生灵万物，都会在这大天劫中消亡。因此，一个天仙，实际也只能存活十二万九千年，折换成天界寿命，不过是三百五十八年。

鸟兽虫鱼等其他族群修仙者呢？除了极少数会被天庭征召，成为仙，绝大多数沦为妖。成为妖，也有好处——在人间，可以存活好多年。

但是，凡事有得必有失。

人间修仙资源匮乏，妖怪的修仙级别普遍不高，成就地仙的已经寥寥无几，进阶天仙的更是罕见。这些妖怪，都被天庭定性为邪恶生物。天庭仙人为了进阶，常常下凡来捕杀妖怪，以妖怪为食，以妖怪炼丹，以妖怪为坐骑，等等。

在西游世界，蟠桃可不仅仅是桃子，它更是性命。吃了桃子，就可以多活许多年。不吃桃子，很快就会死掉。但蟠桃是玉皇大帝掌控的资源，能有机会吃到蟠桃的仙人毕竟寥寥。

卑微如人仙、鬼仙，高贵如天仙、地仙，所有的仙人都渴望长生——延长寿元，成为所有仙人的至高追求。于是，各种拥有延寿效果的仙草灵药，成为三界最为珍贵的资源。

各大势力也极力收罗各种灵药，充实自己。

比如，如来也有延寿灵药。在书中第八回交代，如来有一个超强法宝盂兰盆。把各种灵草奇药放入此盆，其效果会得到迅速提升。正因为这个宝盆拥有如此强大的增强效力，如来才以此盆为聚会命名。

而唐僧到达灵山后，忽然成佛，其中一个重要原因，就是吃了佛祖的好东西。

原文说："只见那设供的诸神，铺排斋宴，并皆是仙品、仙肴、仙茶、仙果，珍馐百味，与凡世不同。这番造化了八戒，便宜了沙僧，佛祖处正寿长生，脱胎换骨之馔，尽着他受用。"

估计这些灵药、灵果，都曾经放在盂兰盆中强化，增强了效力。

地仙之祖镇元大仙的人参果更是声名远播，直追王母蟠桃。

多数天仙都不能扛过天劫，区区地仙镇元大仙为何能安然度过呢？其秘密就在人参果中。

书中交代，吃一枚人参果，可以延寿四万七千年。吃十枚呢？是不是就拥有了四十七万年的寿命？

我想，即便人参果的效力不能完全叠加，但它也必然拥有延寿之外的附加效力——增强肉体强度。

仙草灵药为何能延寿？主要是它们能够改善人体的状态，排除渣滓。这个改善，必然是内外兼备，受到仙草灵药滋润的不单单是神魂，还有肉体。

镇元大仙虽然受到天资局限，其修为始终困在地仙级别，但是服食了N枚人参果后，他的神魂、肉体已经强大到极限，等同于天尊。正因为如此，他成为三界唯一渡过大天劫的地仙。

估计，这也是三界仙人极度渴望蟠桃的原因。吃了一定数量的蟠桃，就有可能扛过大天劫。

寿星号称神仙之宗，延寿的灵药也颇多。

他自己栽种了火枣。虽然书中没有明确说火枣延寿多少年，但从寿星随手送给凡人，八戒讨要时寿星说以后送几斤给他来看，这一枚火枣估计只能延寿一两百年。

在安天大会上，寿星送给如来的紫芝瑶草、碧藕金丹，都应该比火枣要珍贵。寿星毕竟是五方五老之下第一人，海外三岛十洲之主，拥有一些中下品阶的延寿灵草，也是可以理解的。

赤脚大仙在安天大会上献给如来交梨二颗、火枣数枚。这赤脚大仙乃是天仙中的散仙高人，估计也在哪个角落有个洞府，洞府中则有梨树、枣树。

其他如元始天尊、灵宝天尊、四帝、五老等，大都占据某种稀有资源。比如观音，在原著中虽然没有提她有什么延寿仙药，可是，观音的竹子、莲花那都是三界罕有的灵物。未开花的莲花骨朵，竟然就能和金箍棒正面硬拼。

除了以上诸仙，在三界之中拥有延寿灵药的，还有一位。此人就是号称三界第一仙的道祖太上老君。

太上老君是玉皇大帝以及元始天尊、灵宝天尊最大的政敌，双方一直面和心不合。太上老君为何能以一己之力对抗三位大天尊？

因为他拥有等同蟠桃的绝密武器。

第二十五节　老君手段

太上老君是三界第一仙，是公认的道祖。以太上老君的神通，完全可以胜过玉皇大帝。只因亿万年前太上老君遭遇元始天尊、灵宝天尊背叛，以一敌二才大败，导致实力受损。不过，太上老君即便实力下降，依然是三界第一人。只是，以三清的实力，不在万不得已的情况下，不会再轻易出手。他们三人的神通，就仿佛是各自拥有一万枚核弹头，一旦开战，那就是天崩地裂，万劫不复。

这种与敌人共同灭亡的法子，是智者不取的。

既然元始天尊、灵宝天尊不出手，太上老君也不能出手。这应该是亿万年前，三人定下的约定。

不能用神通夺权，那太上老君凭什么叫板玉皇大帝，实施他的反天计划呢？

太上老君号称道祖，天下道门弟子多多少少都和他有关系。他也曾亲自下凡，点化度人。比如孙悟空、猪八戒，都应当是他的弟子。只是，资质绝佳者毕竟稀少，能够甘心为自己所用的更少，在玉皇大帝加官晋爵、赏赐蟠桃仙酒的连番诱惑下，还能站稳脚跟的，就更少了。

因此，传功收徒是太上老君扩张势力的一个方法，但绝非主要方法。

太上老君还是一个炼器大师，他经常把自己炼制的兵器、法宝送给他人，以笼络人心。

比如孙悟空的金箍棒、猪八戒的九齿钉钯，都是太上老君出品。金角、银角带到平顶山的红葫芦、玉净瓶、幌金绳，那也是太上老君炼制。铁扇公主的芭蕉扇是太上老君的，连观音菩萨也有一件太上老君的法宝紫金铃。

话说观音怎么会有太上老君的法宝呢?

在五庄观孙悟空推倒人参果树，到南海处寻求帮助时，观音曾经提到，她和太上老君搞过一次赌局——把她的杨柳枝放在八卦炉中烘烤，看看烤焦后放入玉净瓶中能否恢复。太上老君赌不能，观音自然赌能。结果，观音赢了。可能就是在那次，紫金铃作为战利品，被太上老君送给了观音。

观音和太上老君是闲得发慌了？打这种赌赛干吗呢?

有两个原因。

观音想借重太上老君势力提升自身势力，太上老君也希望借重观音重新夺回佛派控制权。搞好取经行动，是观音与太上老君的共同目标。取经行程中，必然经过五庄观。以太上老君对孙悟空的深刻了解，料定猴子绝不会安分。最糟糕的情况，就是孙悟空不但偷吃人参果，还把人家的人参果树给推倒了。

为防万一，太上老君要试一试观音杨柳枝的复活能力。

这是其一。其二估计和蟠桃有关。

发蟠桃，是玉皇大帝笼络仙界高层的重要手段。孙悟空偷蟠桃，搅乱大会，只是使得一届蟠桃会开不成。要想彻底终结玉皇大帝的蟠桃优势，那就必须把蟠桃树弄死。可蟠桃树又是仙界灵树，彻底弄死了太可惜。因为太上老君也想把蟠桃树的控制权掌握在自己手中。

于是，太上老君提前和观音做个实验，很有必要。

事实证明，观音菩萨手中的杨柳枝复活能力相当神奇。它即便被八卦炉烤焦，也能迅速恢复。

只是，贸然出手是莽夫所为。眼前太上老君的主要目标是夺回佛派控制权。只有等到将佛派掌控在手，实力大增时，太上老君才会安排推倒所有蟠桃树，给玉皇大帝支持者重重一击。

不过，太上老君笼络仙人最重要的手段，不是兵器、法宝，而是与蟠桃大会齐名的“丹元大会”。

玉皇大帝的蟠桃有延寿的神奇功效，但是也有致命的缺点。

蟠桃的主打功能是延寿，对肉身强度的提升不强。像镇元大仙那样能把人参果当饭吃、不断服用以至于肉身超强的仙人，三界仅仅一人。在服用一两颗蟠桃的情况下，延长的主要是仙人的寿元，对服用者的肉身强度乃至法力神通，都没有大的改变。

在面对过强外力时，天仙也会死去。

仙人的外力死亡，主要有两种。一种是死于他杀，比如取经路上各种被孙悟空打死的妖魔，他们的寿命期限当然还远远未到。

另一种是死于天劫。地仙之下有风、火、雷三小天劫，地仙之上有毁天、灭地大天劫。

《西游记》中没有任何记载证明，吃蟠桃（或唐僧肉）能够躲避天劫。孙悟空就是天仙，寿与天齐。可菩提祖师依然警告他，唯有学习变化之术，才能躲避天劫。

因为学习了地煞七十二变，孙悟空轻松躲过了风、火、雷三小天劫。本来，孙悟空是无法扛过未来的大天劫的。可是，因为种种原因需要，菩提祖师（太上老君）不得不以特殊方式提升孙悟空肉身强度，使他拥有金刚不坏之体。

这个特殊方式，就是服用太上老君独门秘制的金丹。

太上老君的金丹非常神奇，其最大的神奇之处就在于——恰恰弥补了蟠桃的重大缺陷。

原著中明确提到的太上老君的金丹，一共有三种。

第一种，能强化身体，扛过天劫。

孙悟空从太上老君丹炉旁偷的五葫芦金丹，就是这种。吃了后，孙悟空被天雷劈砍，神火煅烧，毫发无伤。就算遭遇号称“三界第一神风”的三昧神风，孙悟空除了眼睛里飞了些沙子，全身也浑然无事。

事实证明，太上老君的这种丹药，确实可以躲避仙人的三种天劫。

估计一般仙人服用一粒，就可以轻松躲避一次天劫。孙悟空则吃了整整五葫芦，效力强大到极点，拥有了金刚不坏之体。可以说，孙悟空的身体强度绝对是天尊之下第一人，可以扛过大天劫。

第二种，迅速强化功法，立刻修成高等级仙人。

沙和尚是靠着无数年的苦修，才成为仙人。猪八戒呢，是因为师父（太上老君）给了一颗九转大还丹，轻轻松松就成为仙人。虽然猪八戒也很努力，但主要是九转大还丹的功效。

也就是说，太上老君可以凭借一枚九转大还丹，轻轻松松制造出一个神仙，甚至地仙。

那么，太上老君为何不批量制造猪八戒呢？估计是因为炼制九转大还丹耗费的灵药灵草太多，成功率又不太高，无法批量生产吧。

但是，只要太上老君能炼制金丹，对于绝大多数低阶神仙来说，就是极大的诱惑。

第三种，仙人死后多年，也可以瞬间复活。

在乌鸡国，孙悟空从井里救出了乌鸡国王。唐僧想要救活国王，孙悟空去了天庭，找到了太上老君。太上老君给了孙悟空一颗九转还魂丹，乌鸡国王服用后，立刻就活了过来。

一般人死了，魂魄会被拘到地府，由阎罗看管。之后，安排转世投胎。若魂魄已经投胎，自然不能还阳。若魂魄还在地府，孙悟空可以去地府讨要魂魄，带回阳间还魂。可是，乌鸡国王已经死了三年，魂魄还被夜游神带走，不在尸体附近了。

但即便如此，九转还魂丹服下后，乌鸡国王立刻活了过来。这证明了什么？证明太上老君的仙丹完全可以忽略常规法则，强行将死人唤醒。

而复活死人，只是九转还魂丹的附带功效，它真正的作用是复活死去的仙人。

仙人或者死于天劫，或者寿命已尽，或者被他人杀害，无论何种方式，只要服下太上老君的九转还魂丹，就能立刻复活。

大家看看，太上老君这三种仙丹，样样都很厉害——强化，晋级，不死。

有如此仙丹的太上老君，当然能叫板玉皇大帝。

孙悟空盗走太上老君仙丹是因为大闹蟠桃会，大闹蟠桃会是因为没有邀请他参加。在孙悟空看来，一切都是他的自主行为。其实，他的举动一直被人操控着。

终极操控者自然是太上老君，实际执行者则另有其人。

是谁导致孙悟空不能参加蟠桃会，触发又一次大闹天宫的呢？

第二十六节　大闹蟠桃会

在不少影视剧中，孙悟空都被描绘成一个敢于反抗强权的斗士，这其实是一种误解。

孙悟空为何要大闹天宫？因为没有被邀请参加蟠桃会。在孙悟空看来，他乃是堂堂齐天大圣，官品达到极点，即便是漏掉哪位仙佛，也不应该漏掉他孙悟空。

事实上，齐天大圣确实是超大的官。玉皇大帝亲口宣布：“今宣你做个齐天大圣，官品极矣，但切不可胡为。”在天界做齐天大圣的一百六七十年间，孙悟空就是仗着齐天大圣的头衔，与各路仙佛结交。书中交代：

“见三清称个‘老’字，逢四帝道个‘陛下’。与那九曜星、五方将、二十八宿、四大天王、十二元辰、五方五老、普天星相、河汉群神，俱只以弟兄相待，彼此称呼。”

在取经路上，孙悟空称呼太上老君为“老倌”，见玉皇大帝也仅仅是拱手而不下跪，这并非孙悟空傲慢，而是齐天大圣的官衔摆在那里。既然是齐天，那就意味着与天相等，与玉皇大帝相等。太上老君是道祖不假，可在天庭的官员系统中，依然是玉皇大帝的下属，见到玉皇大帝要口称老臣。至于孙悟空对五方五老、九曜星、十二元辰等以兄弟相称，那还算是孙悟空为人比较随便，不爱计较。

有读者提到，此处文中写孙悟空与五方五老兄弟相称，为何后文却仿佛没有见过如来呢？

从后文孙悟空和花果山群猴的谈话可知，这一百六七十年，孙悟空并没有下界，一直都在天庭。五方五老中的某些人可能上过天庭，孙悟空因此得见。如来则一直待在下界西方，因此，孙悟空没有机会得见。我的理解是，此处列举的诸多仙佛只是取其大概，以说明孙悟空交游广阔，不可较真。

取经路上，孙悟空但凡介绍经历，必定大谈特谈自己做齐天大圣的这段经历。这些足以说明，咱们的猴哥，其实是个官迷。

孙悟空热衷当官，更多的，是希望证明自己。而没有被邀请参加蟠桃会，等于是玉皇大帝狠狠扇了孙悟空一个耳光，一点没给他留面子。孙悟空怎能不生气？

既然不给我面子，那我何必给你面子？既然你不让我参加蟠桃会，那我就让你的蟠桃会搞不成。

于是，自然而然的，孙悟空大闹蟠桃会，闯出大祸，走向了天庭的对立面。

那么，玉皇大帝是不是真的瞧不起孙悟空，故意不邀请孙悟空参加蟠桃会呢？

玉皇大帝派孙悟空看守蟠桃园，确实另有目的，甚至可以说暗藏杀机。但是，他万万没有想到，孙悟空会胆大包天，突然出手，搅乱蟠桃会。

这完全打乱了玉皇大帝的部署。

观音菩萨到来，询问玉皇大帝蟠桃会为何没有如期举行。玉皇大帝大倒苦水，其中有这样一句："及至设会，他乃无禄人员，不曾请他，他就设计赚哄赤脚大仙，却自变他相貌入会，将仙肴仙酒尽偷吃了，又偷太上老君仙丹，又偷御酒若干，去与本山众猴享乐。"

玉皇大帝为何没有邀请孙悟空呢？上面话语中说得明白，"他乃无禄人员"。

什么是"禄"？我们平常说的"高官厚禄"，这"禄"其实就是俸禄，就是工资，就是与官职相应的各种各样的待遇。

玉皇大帝举办的蟠桃会，其实就是天庭高层仙人福利大会。越是高品的仙人，吃的蟠桃越大，得到的回报越多。三清、四帝肯定是吃大蟠桃，九曜、十都则可以混个小蟠桃。

可孙悟空是“无禄之人”，是不发工资的，自然就不能参加蟠桃会。

孙悟空既然官拜齐天大圣，有了官职，自然应该享受相应级别的俸禄待遇。为何孙悟空“有官无禄”呢？

这一切，还要从太白金星请求招安孙悟空说起。

在第一次托塔天王、哪吒征讨花果山失败之后，太白金星旧事重提，建议招安。太白金星如此说：“那妖猴只知出言，不知大小。欲加兵与他争斗，想一时不能收伏，反又劳师。不若万岁大舍恩慈，还降招安旨意，就教他做个齐天大圣。只是加他个空衔，有官无禄便了。”

玉皇大帝追问什么叫“有官无禄”。太白金星解释说：“名是齐天大圣，只不与他事管，不与他俸禄，且养在天壤之间，收他的邪心。”

太白金星的话很是体贴。他首先强调，若是再发兵征讨，一来妖猴神通广大，未必就能收服。万一再失败，天庭颜面何存？二来，只要出兵，就要耗费钱粮，劳师动众。其次，他明确给出了解决方案——降旨招安。招安可以免去征讨的两个弊端；另外，答应孙悟空做“齐天大圣”，是有官无禄，玉皇大帝基本上不损失啥。

因为太白金星如此建议，玉皇大帝才答应招安，答应让孙悟空做了齐天大圣。

孙悟空有官无禄这件事情，在天庭高层人人皆知，这也是高层仙人从骨子里依然看不起孙悟空的真正原因。

只是，有官无禄这件事，天知地知，玉皇大帝知，群仙知，孙悟空却不知。孙悟空不但在天界为官时不知此事，大闹天宫时依然不知，取经路上还是不知。三界仙人瞒得孙悟空好苦。

为何谁也不说破？

因为说破此事就是得罪了玉皇大帝。这不就说明，玉皇大帝老人家是个大骗子吗？

其实，玉皇大帝心中好苦。他也是被人坑了。

那个挖坑的人，就是三界人人都赞扬的老好人——太白金星。

孙悟空对天庭仙人没啥好感，唯独对太白金星很尊重。太白金星对孙悟空有两次举荐之功，取经路上更是多次通风报信。

只是，孙悟空不知道，让他背负弼马温之耻辱，闯出大闹天宫祸事，被压五行山下等诸多事情的背后，都少不了温和良善的太白金星。

什么是坑人的最高境界？就是坑了你，而你还对他感激涕零。

若非太白金星告诉玉皇大帝，招安孙悟空可以有官无禄，玉皇大帝根本不会封孙悟空为齐天大圣。若非有官无禄，孙悟空也不会被排除在蟠桃会之外——玉皇大帝是按照规矩办事的。

太白金星挖下的这个大坑，不但把孙悟空给装进去了，还把玉皇大帝给装进去了。

太白金星为何要挖这个坑？

太白金星乃是太上老君心腹。太上老君制造出孙悟空，就是要让他去大闹天宫，打破三界平衡的。太白金星要做的，就是努力促成此事。

大闹蟠桃会后，孙悟空再度反出天庭，玉皇大帝派李靖平叛。托塔天王屡战屡败，为何玉皇大帝还信任他？

第二十七节　天王降妖

托塔天王本是天上的二流仙人。他虽然是天庭元勋，但是在满天星宿中地位比较低下，排名比较靠后。他麾下只有巨灵神、鱼肚将、药叉将三位不入流神仙以及三五千天兵。别看李靖号称天王，其实，天王在天庭算不得什么。像看守天庭四天门的四大掌管，都叫作天王。

那托塔天王李靖是什么时候开始发迹的呢？

是在孙悟空嫌弼马温官小，反下天庭、自立为齐天大圣之后。玉皇大帝听仙官禀告，大怒说："着两路神元，各归本职，朕遣天兵，擒拿此怪。"玉皇大帝此前同意招安旨意，已经彰显王者宽仁之风。可是，孙悟空竟然不知好歹，嫌弃官小，私自下凡。这可就是给脸不要脸了！

但是，孙悟空来历成谜，对于其背后势力到底是谁，玉皇大帝还没有把握。他下令征讨，也是要借此试探天庭群仙的反应。

眼看群仙沉默，玉皇大帝心中不快。此时，班部中走出托塔李天王与哪吒三太子，越班奏上道："万岁，微臣不才，请旨降此妖怪。"所谓"越班"，就是走出班列，上前启奏。

在古代，所有官员的班列次序，都有着严格的规定。“越班”禀奏，是非常无礼的举动，很容易招来御史、言官的弹劾。以托塔天王当时的身份，是没有资格直接禀奏的。他们父子之所以如此，有两个原因。

其一，支持玉皇大帝的征讨策略，主动向玉皇大帝表明忠心。

早在龙王与阎王状告孙悟空时，玉皇大帝就表态要派兵征讨。因为孙悟空大闹龙宫、修改生死簿，不但得罪了龙王、冥界，更扰乱了三界正常秩序。作为三界之主的玉皇大帝，自然要拨乱反正，出兵征讨。

面对叛乱，玉皇大帝的第一反应，是武力镇压。

玉皇大帝的反应正确吗？非常正确。若是对每一个造反者，都予以招安的话，那下界万妖还不人人作乱，以求封赏？唯有武力镇压，以杀戮表明天庭的强大，才能震慑宵小。

可是，玉皇大帝出兵的策略遭到了九曜之首太白金星的反对。

太白金星的官品不高，只是八极之下、十都之上的九曜星君之一，但凡是稍稍了解天庭格局的人都可以知道，太白金星乃是太上老君在天庭的代言人。他出面反对，玉皇大帝不得不给几分面子。

因此，玉皇大帝下诏让孙悟空上天，授予天箓，官拜弼马温。可是，孙悟空竟然不知好歹，再度反叛，那就怪不得玉皇大帝出手狠辣了。

其二，哪吒一派代表佛派势力，请求出征是与孙悟空划清界限。

《封神演义》中，李靖是西昆仑散仙度厄真人弟子；李靖长子金吒拜元始天尊门下文殊真人为师；次子木吒，即《西游记》中木叉，拜元始天尊门下普贤真人为师；三子哪吒是元始天尊门下太乙真人弟子，太乙真人用莲花为其重塑其身。

而在《西游记》中，哪吒一家代表的都是佛派势力。李靖的师父是谁不得而知，但李靖的宝塔是如来所授。长子金吒，为如来前部护法；次子木叉，为观音菩萨大弟子；三子哪吒，自杀后是由如来为其再塑其身。

可以说，托塔天王李靖、哪吒在天庭神将中是典型的佛派代表势力。在天庭对孙悟空的调查了解中，虽然不知道孙悟空的具体师承，却可以查访到他曾经到过西牛贺洲。

孙悟空在回花果山时，曾对群猴说："又渡西洋大海，到西牛贺洲地界，访问多时，幸遇一祖师，传了我与天同寿的真功果，不死长生的大法门。"

这对于西方佛派来说，是个非常危险的信号。如来佛祖必须向玉皇大帝表明态度，与孙悟空划清界限。因此，代表佛派势力的李靖、哪吒主动请求征讨，就是最好的应对策略了。

当托塔天王李靖、哪吒表态请求出征时，玉皇大帝大喜，立刻加封李靖为降魔大元帅，哪吒为三坛海会大神——李靖和哪吒到此时，才真正开始走向天庭高层。

当然，要想获得玉皇大帝的信任，可不是那么容易的。最合理的情况是，李靖和哪吒征讨孙悟空大获全胜，最好是能将妖猴的头颅砍下。

可是，李靖第一次统兵大败而回。按照道理，玉皇大帝应该严惩李靖。正如李靖要严惩战败的巨灵神一样——“这厮锉吾锐气，推出斩之!”

让人奇怪的是，玉皇大帝不但没有严惩李靖，反倒更加信任他了。不但第二次征讨花果山时他依然以李靖为统帅，并且在以后的五六百年间，但凡三界有任何变乱，都以李靖为元帅，发天兵征讨。

玉皇大帝为何要重用一个作战失败的将领呢?

首先，是形势逼人，玉皇大帝不得不如此。

李靖回到天庭，羞愧地禀告一切，请求玉皇大帝增兵。玉皇大帝大怒说：“这妖猴何敢这般狂妄！着众将即刻诛之。”玉皇大帝的态度非常坚决，希望继续以武力镇压。

可就在此时，太白金星再次阻止——上次李靖请战，太白金星没有发言，因为不好阻止。可如今李靖战败了，太白金星有话说了。

太白金星说：“欲加兵与他争斗，想一时不能收伏，反又劳师。不若万岁大舍恩慈，还降招安旨意，就教他做个齐天大圣。只是加他个空衔，有官无禄便了。”

大家看太白金星言语，实在是处处维护孙悟空。孙悟空有何大能？派五方五老任意一人出马，分分钟秒杀孙悟空。太白金星凭啥说天庭一时不能收服孙悟空呢?

只因为，天庭群仙中大都是三清门下大罗仙，其中又以道祖太上老君门下弟子最多。太上老君若不发话，玉皇大帝即便派他们出战，他们也会消极怠工，使得妖猴一时不能收伏。

何况，太白金星强调，即便答应孙悟空要求，天庭也不会损失什么。齐天大圣是“有官无禄”——虚有其名，不发工资的。在这种情况下，玉皇大帝不得不同意招安。

但是，招安从来不是玉皇大帝所愿。于是，主战派李靖就成为玉皇大帝在天庭群仙中最为信任的将领。

其次，李靖本人虽然不强，但背景强大。

李靖本人的实力平平，除了拥有几件法宝外，没有什么特别之处。但是李靖所代表的佛派势力，能量极大。

佛派虽然是下界新兴宗派，可是数万年来，佛派已经汇聚了四十六位佛、四大菩萨、上百位普通菩萨、十八罗汉、五百罗汉、三千揭谛等力量。普通罗汉和三千揭谛相当于巨灵神和十万天兵的实力。菩萨拥有二十八宿、十二元辰的实力。四十六位佛，与六元、七司、八极、九曜、十都相比，毫不逊色。而佛派群仙中，更有如来佛、弥勒佛、燃灯佛、观音菩萨等堪比天尊的强大力量。

因此，重用李靖，乃至重用佛派，正可以起到制衡太上老君道派的作用。

最后，李靖本身实力有限，正方便玉皇大帝控制。

在第二次征讨花果山时，玉皇大帝让李靖担任统帅，却让地位远高于李靖的九曜星官、十二元辰、二十八宿、东西星斗、南北二神做李靖的副手。这是玉皇大帝糊涂吗？

玉皇大帝不但不糊涂，反倒精明得很。

大将统兵在外，帝王最担心的是将领威望过高，因为时间一久，就会形成出征军队尾大不掉、不听指挥的局面。玉皇大帝就是要让官阶低、能力差的李靖出任元帅，如此，三军的战斗力虽然差些——果然出现大量放水现象，但是因诸位大将不威服元帅，无法形成合力，军队的最终控制权将牢牢把握在玉皇大帝手中。

以上种种，才是李靖虽屡战屡败，但在玉皇大帝身边却恩宠不衰的主要原因。

李靖剿匪无功。此时，观音菩萨赶到天庭，对玉皇大帝说了一番话，顿时改变了玉皇大帝的窘境。

观音菩萨到底说了什么话呢？

第二十八节　观音举荐

《西游记》第六回写的是观音菩萨登场，推荐二郎神，最终孙悟空被抓的事情。这是观音菩萨在全书中第一次亮相。在这一回中，观音虽只是一个穿针引线的配角，可展现出来的智慧绝不容忽视。

观音菩萨在三界的位置很尴尬：一方面，她是天庭任命的五方五老之一，地位和如来等同；另一方面，她在佛派中虽然是四大菩萨之首，上面却还有四十六位佛。

所以，观音力图改变尴尬局面，在佛派乃至天庭全面提升自己的地位。

而在大闹天宫事件中，观音菩萨三次出手，每次出手都取得了了不起的成绩。

第一次出手，明确表明立场。

作为五方五老之一，观音菩萨早早收到了王母的邀请。按照常理，观音菩萨应该提前来到瑶池，准备赴宴，但她没有这样做。赤脚大仙等人到了很久（被孙悟空蒙骗，聚集在通明殿），后来发觉被骗，愤然举报。玉皇大帝随后点起兵马下界征讨，李靖等人也已去了许久——此时，观音菩萨才登场。

观音菩萨为何姗姗来迟？因为她脚程慢，腾云速度不行？当然不是。观音早就应该收到蟠桃会发生惊变的消息（李靖已经下界攻打花果山一天一夜了）。之所以来得慢，是观音在考虑，此次天庭惊变，自己应不应该来，来了之后态度如何。

大家可以发现，同样作为五方五老的如来就没有上天。在得知蟠桃会开不成后，如来选择了留在灵山，观望局势。

以大家的智慧都明白，孙悟空有几斤几两？他能闹出多大风波？关键是孙悟空背后的人是谁。没有摸清这个底牌，不可贸然出头。

如来乃西方佛老，有资格、有实力作壁上观，但观音不行。她有其诉求，必须借重玉皇大帝力量。

观音到达瑶池蟠桃会现场，“见那里荒荒凉凉，席面残乱；虽有几位天仙，俱不就座，都在那里乱纷纷讲论”。

观音很清醒，她说：“既无盛会，又不传杯，汝等可跟贫僧去见玉皇大帝。”

众人一听，大喜。大家都觉得，惊变发生，去玉皇大帝面前不好，不去也不好。如今有人领头，正可顺水推舟。

观音带领群仙来到通明殿，要求觐见玉皇大帝。玉皇大帝听闻，很是高兴。他知道天庭群仙派系分明，己方虽然有元始天尊、灵宝天尊坐镇，但太上老君派系实力强劲，一直蠢蠢欲动。如今，有观音带领群仙到来，是一个很好的信号。

第二次出手，派木叉降妖，表明忠心。

之后，就是玉皇大帝和观音会面。玉皇大帝不厌其烦地把孙悟空大闹天宫的经历相告，甚至主动展现自身的脆弱一面——朕为此很是烦恼，故调十万天兵，天罗地网收伏。只可惜，托塔天王李靖去了很久，完全没有消息。

玉皇大帝看起来是在示弱，其实是借机观察。观音敏锐地发现了玉皇大帝的心机，于是第二次果断出手。

观音立刻叫来木叉说："你可快下天宫，到花果山打探军情如何。如遇相敌，可就相助一功，务必的实回话。"

以观音五方五老的身份，自然不方便自己出面。她让木叉下山，快快打探军情，如实禀告，是解玉皇大帝之惑；吩咐木叉，若有战事，就出手相助，是明确站在玉皇大帝一边。观音这番话一出，玉皇大帝心中甚慰。

而木叉一方面是观音弟子，另一方面又是李靖之子，让他出面，以子助父，合情合理。

不过，观音为何强调木叉"务必的实回话"？若战局顺利，自然会如实回禀。若战局不顺利，木叉出手打败孙悟空，自然也会如实回禀。唯独既战局不顺，木叉又战败，木叉才有可能讳言。

我的理解是，观音菩萨借此暗示木叉，此去战孙悟空，许败不许胜。

这是因为，李天王许久未归，就证明天庭出师不利。若木叉战胜，不就证明天庭差而观音强吗？这在当下自然是不合适的。

之后，木叉与孙悟空大战五六十个回合落败。回到军中，木叉向父亲李靖解释说：“孩儿战不过，又败阵而来也！”木叉是第一次迎战孙悟空，为何说“又败阵”呢？这只因前次哪吒战孙悟空落败，而现在木叉同样落败。我们可以想象，李靖听了，心中必然一沉。哪吒心中必然一松。

木叉对观音的回禀也大有问题，他说：“始领命到花果山，叫开天罗地网门，见了父亲，道师父差命之意。父王道：‘昨日与那猴王战了一场，止捉得他虎豹狼虫之类，更未捉他一个猴精。’正讲间，他又索战，是弟子使铁棍与他战经五六十合，不能取胜，败走回营。父亲因此差大力鬼王同弟子上界求助。”

当时花果山的局势，对孙悟空其实相当不利。九曜星君与二十八宿，就已经把水帘洞洞口堵死。孙悟空几番冲杀，仅仅是把九曜杀退，而自己一方也葬送了七十二洞妖王。天兵天将实际上没有太大的损伤，可是在木叉口中，天兵天将完全是败局已定，毫无擒获孙悟空的可能。

听闻此话，观音沉吟不语，随即，向玉皇大帝推荐了二郎神。

第三次出手，推荐二郎神，归功于上。

表面看来，推荐二郎神乃是观音临时想到的建议，其实不然。

二郎神和玉皇大帝的关系很微妙，玉皇大帝和二郎神有舅甥之亲，血缘关系天下皆知，可是玉皇大帝对二郎神又有拆散父母、拘押母亲之仇。正因为如此，在修成仙道之后，二郎神才会听调不听宣，成为三界一个尴尬的存在。

依照往日的仇怨，听闻有人大闹天宫，二郎神应该高兴才对。要二郎神去帮玉皇大帝，那不是自讨没趣吗？

可事实是，接到调令，二郎神不但没拒绝，反倒大喜道："天使请回，吾当就去拔刀相助也。"

这是怎么一回事呢？唯一的解释就是，观音菩萨早就做通了二郎神的工作，对二郎神阐明了利害关系。

那么，观音菩萨为何要推荐二郎神呢？

观音的推荐词是这样的："乃陛下令甥显圣二郎真君，见居灌洲灌江口，享受下方香火。他昔日曾力诛六怪，又有梅山兄弟与帐前一千二百草头神，神通广大。"

理由一，二郎神是玉皇大帝外甥。

理由二，二郎神乃显圣二郎真君，有正式仙箓，神通广大，更有梅山六圣相助，麾下一千二百草头神，可谓兵强马壮。

在这两个理由中，观音强调的是哪个？玉皇大帝看重的是哪个？

多数人都会选择理由二。因为二郎神厉害，观音才推荐，玉皇大帝才调遣二郎神抓孙悟空。难道不是这样吗？

二郎神是厉害，可是，天庭就真的没有人比二郎神厉害吗？

大家不要忘记了，排名很靠后的二十八宿奎木狼在丢了金丹的情况下，还能和孙悟空大战五六十回合不分胜败。连九曜星之太阴星君的宠物玉兔精，都可以和孙悟空大战三四十个回合不分胜败。只要大家使出真功夫，许多仙人的实力都不弱于孙悟空，自然也不会弱于二郎神。更不要说还有四帝、五老，还有不少天尊级别的高手。这些人可都是能够秒杀（抓）孙悟空的。

于是，观音推荐、玉皇大帝调遣二郎神的真正理由，其实是因为二郎神是玉皇大帝外甥。

大家都不行，唯有二郎神行。二郎神为什么行？那是因为他是玉皇大帝的外甥。

归根到底，是玉皇大帝行。

这就叫作“功归于上”。

在《西游记》中二郎神名气极大，可是他除了能打，留给我们的印象并不多。二郎神究竟是一个怎样的人呢？在纷乱的三界，他又是如何求存的呢？

第二十九节　二郎窘境

玉皇大帝与二郎神仇深似海。为何接到玉皇大帝诏书，二郎神不但“大喜”，并且当场表态愿意出手相助呢？

要说清楚这个问题，首先要弄清楚二郎神和玉皇大帝的关系。

孙悟空和二郎神初次见面，猴哥笑嘻嘻说：“我记得当年玉皇大帝妹子思凡下界，配合杨君，生一男子，曾使斧劈桃山的，是你么？我行要（将要、想要）骂你几声，曾奈无甚冤仇；待要打你一棒，可惜了你的性命。你这郎君小辈，可急急回去，唤你四大天王出来。”

孙悟空为何初见二郎神，就要骂二郎神、打二郎神呢？

我们结合孙悟空前面的话就可以明白。

二郎神的母亲乃是玉皇大帝的妹妹，当年因思凡下界——在无数的神话故事中，仿佛思凡、动凡心的永远都是女神仙，这是典型的红颜祸水论。中国男人自古就爱推卸责任。

玉皇大帝妹妹看中了杨君，于是结为夫妻，生下了三个孩子。大儿子叫作杨大郎；二儿子叫作杨二郎；老三是个女儿，后人叫她三圣母——就是《宝莲灯》中沉香的母亲。奇怪的是，在各种神话中，老二威武，老三多情，唯独老大杨大郎仿佛不存在一般，只有一个模糊的背影。

杨二郎天生神力，加上有高人传授功法，修成八九玄功。至于二郎神的师父是谁，在不同版本中有不同解读，我们暂且搁置。长大后，二郎神才听说自己的身世，得知母亲被压在桃山之下。于是，二郎神斧劈桃山。

斧劈桃山之后，二郎神的母亲结局如何呢？《西游记》中没有记载。不过，民间传说“二郎担山”故事中略有提及。

据说，二郎神救出母亲之后，因母亲常年被压，全身湿气很重，就让母亲在桃山晒晒太阳。玉皇大帝得知大怒，派出九个太阳来到桃山，当场把二郎神的母亲、自己的亲妹妹晒成了人干。母亲暴毙，二郎神大怒，抬手就搬起劈开的桃山，压住了两个太阳。剩下七个太阳赶紧逃跑。二郎神沿路挑起七座大山就去追赶。最终，二郎神用山又压住了六个太阳，剩下最后一个匆忙逃入东海去了。

论私，妹妹思凡下界大损玉皇大帝颜面，丢脸丢大了。论公，妹妹匹配凡人违犯天条，自己作为君王应当为天下表率。因此，《西游记》中虽然没有写明二郎神母亲的结局，但可以料定，以玉皇大帝的行事风格，二郎神母亲不会有什么好下场。

正因如此，二郎神和玉皇大帝之间的仇怨，不但没有因斧劈桃山而化解，反倒更加深重。这就是孙悟空听闻二郎神前来挑战，心中生气，要打骂二郎神的原因。

谁都可以来帮玉皇大帝，二郎神不该帮忙啊！

那么，二郎神为何不顾父母怨仇，主动帮助玉皇大帝降伏反叛大军呢？

这就要从二郎神听调不听宣说起。

什么叫作“听调不听宣”？

所谓“听调”，就是听从朝廷调派，服从朝廷管束。所谓“听宣”，就是听从皇帝命令。整句话连起来，就是说，我承认我是朝廷的臣子，但是，要我去朝廷朝拜皇帝，问候起居，那我不去。

光从字面理解，有些纠结。若举个例子，就非常好理解了。

北洋时代各军阀在表面上都承认自己是民国的一分子，但是不管民国大总统诸如黎元洪、徐世昌等人下令如何如何，各地军阀基本上仍我行我素。

在《西游记》中，听调不听宣就是二郎神名义上臣服天庭，其实根本不听从玉皇大帝号令。玉皇大帝只是二郎神名义上的主君，对二郎神辖区内的事务，诸如人事权、财权、军权等，都无权干涉。

灌江口，就是三界之中独属于二郎神的独立小王国。二郎神只是没有公开反叛而已，其实，日子过得比齐天大圣孙悟空还要逍遥。

那么，二郎神为何能听调不听宣呢？

因为他建立下赫赫战功，让人不敢小视。

《西游记》中写到了二郎神一生中的四大业绩："斧劈桃山曾救母，弹打鋋罗双凤凰。力诛八怪声名远，义结梅山七圣行。"

第一个故事我们已经介绍了。第二个故事已经不可考。从字面来说，应当是二郎神以神弹打中了鋋罗的凤与凰。在古代神话中，凤凰乃是上古真灵，百鸟之王，雄者为凤，雌者为凰。

至于这凤凰是不是如来时代的神鸟，孔雀大明王、金翅大鹏雕的母亲呢？应该不是。这就犹如龙其实是一个庞大的族群一样，三界的凤凰应该也有多只。

但无论如何，能打中万鸟之王凤凰，足见二郎神的弹弓很厉害。在《西游记》第六十八回中，孙悟空就曾经与二郎神合作，力斗九头虫。孙悟空近身搏斗，二郎神以金弓银弹远程射击，三两下就让九头虫方寸大乱，最终被细犬一口咬掉了一颗头颅。

第三个故事是降伏八怪。《封神演义》把这个故事进行了改造，变成了梅山七怪作乱，最终，除了老大袁洪被姜子牙以葫芦飞刀杀掉，其他六怪都被二郎神杀死。他们死后封神，共称为梅山七圣。

《西游记》的设定与《封神演义》表面相似，其实不同。所谓力诛八怪，是说二郎神大展神威，诛杀了八个妖怪，至于妖怪是谁，书中没有明说。

第四个故事是二郎神与梅山六兄弟结拜，共称梅山七圣。在《西游记》中，梅山六圣有名字，原文说："乃康、张、姚、李四太尉，郭申、直健二将军。"

正因为有打伤凤凰之勇武，诛杀八怪之神通，更有梅山六圣、一千二百草头神相助，二郎神俨然成为三界一股不可小视的力量。

当然，与天庭比较起来，二郎神这点力量那就是浮云。

真正让二郎神享有听调不听宣权力的，还是因为他是玉皇大帝的外甥。可以说，聪明如二郎神，高傲如二郎神，对这一点是非常清楚的。

玉皇大帝为何下达这个命令呢？这不等于削弱自己在三界的威权吗？是因为妹妹的死让玉皇大帝心生愧疚？是因为外甥实力强大，可堪利用？

这些或许是原因之一，但都不是主要原因。

以玉皇大帝之权势，若真要灭杀二郎神，可说轻而易举。只是，镇压越规的妹妹，可以说师出有名。但如果玉皇大帝连外甥二郎神也不放过，三界仙人会怎么看他？

残暴！无情！冷血！甚至——禽兽不如！

在传统中国的礼法概念中，二郎神劈山救母乃是至孝之举，不但无罪，反倒是大善之行。玉皇大帝可以镇压妹妹，但不能株连外甥。俗话说，虎毒不食子。

在进退维谷之时，玉皇大帝下达了听调不听宣的决定。这个决定，让玉皇大帝和二郎神都很满意。听调，是尊重玉皇大帝。不听宣，是尊重二郎神。

什么最重要？自然是面子。

不过，二郎神的权力是不是很大呢？

他麾下有梅山六圣——这六圣其实就是巨灵神级别的仙人；他麾下有一千二百草头神——看名字就很草根。

关键一点是，二郎神的地盘实在有限。他的堂口在三界之中只有一处，即灌江口。

靠着这一个地方的庙宇，能有多少香火收入？在人间，硬通货是金银。在仙界，硬通货是香火。玉皇大帝给二郎神的，其实是口惠而实不至的一个官职。

并且，这个口惠比起孙悟空还不如。孙悟空是大圣，二郎神只是小圣。

久而久之，二郎神自然对自己的地位不满起来，他要扩张势力，提升地位，但以他和玉皇大帝的糟糕关系，玉皇大帝不找他麻烦就已经烧高香了。谁都知道二郎神得罪过玉皇大帝，三界哪个仙人敢帮二郎神说情？

就在二郎神苦寻上位、毫无门路的时候，观音菩萨向他伸出了杨柳枝。

观音菩萨为何迟迟才到天庭，为何要让木叉必败？一切都是希望让二郎神出头，由二郎神来击败孙悟空。

因为只有如此，玉皇大帝的颜面才可以保存；因为只有如此，二郎神的梦想才可以实现；因为只有如此，佛派尤其是观音，才能笼络到二郎神这样的强大战力。

在原著第二十八回，花果山群猴告诉孙悟空：“自从爷爷去后，这山被二郎菩萨点上火，烧杀了大半。”杨二郎本是天庭神将，猴子为何称呼他为二郎菩萨呢？这其实就是作者在暗示我们，二郎神感念观音引荐之功，已经悄悄加入佛派。这也是后文九头鸟故事中，孙悟空不计前嫌，主动和二郎神结交的重要原因。

介绍了二郎神的出身来历之后，我们来谈谈关于二郎神最热门的两个话题。

第三十节　三眼战神

在传统神话中，二郎神不但是肉身成圣，拥有八九玄功，更有第三只眼，可以看破万千变化。在阅读《西游记》时，大家想当然的，也认为二郎神具有第三只眼。

其实，不但是《西游记》中的二郎神没有第三只眼，即便是后来的《封神演义》中，二郎神依然没有第三只眼。二郎神的第三只眼是什么时候才出现的呢？到清朝时期的各种戏曲中，第三只眼才成为二郎神的经典扮相。

看《西游记》原文，二郎神来到花果山，作者以孙悟空的视角，写二郎神的外貌，如下：

“仪容清俊貌堂堂，两耳垂肩目有光。头戴三山飞凤帽，身穿一领淡鹅黄。缕金靴衬盘龙袜，玉带团花八宝妆。腰挎弹弓新月样，手执三尖两刃枪。斧劈桃山曾救母，弹打铤罗双凤凰。力诛八怪声名远，义结梅山七圣行。心高不认天家眷，性傲归神住灌江。赤城昭惠英灵圣，显化无边号二郎。”

整个诗歌一共十六句，前八句写二郎神的外貌，后八句写二郎神的功业。二郎神在民间有天庭第一战神美称，在《西游记》中也是天庭帅哥的典范。其人不但武艺高强，神通广大，外貌也清俊脱俗，仪表堂堂。

诗句中除了对于衣着打扮的描写，对于二郎神本身，只是突出了一个特征——两耳垂肩。这在中国古代相面学中，是典型的大富大贵之相，刘备不就号称大耳贼吗？大家细品这十六句诗，无一句一字提到二郎神有第三只眼。

关于二郎神的眼睛，原著中提到了几次，但是不是第三只眼呢？

孙悟空和二郎神在大战三百回合不分胜败之后，二郎神首先施展法天象地神通，开始斗法。因见本阵猴兵被击败，孙悟空撤退，之后变作麻雀。原文说：

“正嚷处，真君到了问：‘兄弟们，赶到那厢不见了？’众神道：‘才在这里围住，就不见了。’二郎圆睁凤目观看，见大圣变了麻雀儿，钉在树上。”

有人认为，这里的“圆睁凤目”其实就是二郎神施展第三只眼的神通，看破孙悟空的变幻之术。

其实，“凤目”是古代章回小说中对男性武将眼睛的常见描述，比如说《三国演义》中的关羽，就没少“圆睁凤目”。莫非关羽也有第三只眼？

“凤目”一词，在《西游记》中也频繁出现，唐太宗李世民、女儿国国王、朱紫国国王、狮驼岭的象魔王都有“凤目”。

关键一点，在《西游记》中其实详细写到了二郎神和孙悟空是如何看破对方幻术的——二郎神依靠的不是第三只眼，孙悟空此时还没有修成火眼金睛——他们发现彼此破绽，纯粹是依靠对手变化的破绽以及自己对事物认识的经验。

先说二郎神，追孙悟空到水边，忽然就看不到人影了。原文说：“二郎赶至涧边，不见踪迹，心中暗想道：‘这猢狲必然下水去也，定变作鱼虾之类。等我再变变拿他。’果一变变作个鱼鹰儿。”

并非因为二郎神看破鱼虾是孙悟空所变，而是二郎神根据孙悟空是在水边消失，做出孙悟空已经变成鱼虾这个推断。

不少读者都以为孙悟空的变化之术比二郎神要差，其实不然。没有火眼金睛时，孙悟空就已经可以和二郎神斗个旗鼓相当了。原文说：

“等待片时，那大圣变鱼儿，顺水正游，忽见一只飞禽，似青鹞，毛片不青；似鹭鸶，顶上无缨；似老鹳，腿又不红：‘想是二郎变化了等我哩！’急转头，打个花就走。”

孙悟空为何能发现鱼鹰可能是二郎神变化的呢？因为二郎神变化的鱼鹰有破绽，不像。

那二郎神是如何识破孙悟空变化的呢？同样因为孙悟空变成的鱼儿有破绽，不像。原文说：

“二郎看见道：‘打花的鱼儿，似金鱼，尾巴不红；似鳜鱼，花鳞不见；似黑鱼，头上无星；似鲂鱼，鳃上无针。他怎么见了我就回去了，必然是那猴变的。’赶上来，刷的啄一嘴。”

正因为孙悟空变的鱼儿，像金鱼又不是金鱼，像鳜鱼又不是鳜鱼，乍看是条鱼，细看根本没有这种鱼，二郎神才能断定鱼儿是孙悟空变化。

原著中对两人的斗法描写有多处。因为是孙悟空变化在先，且是叛贼身份，而二郎神是变化在后，是追捕者身份，所以，给读者的印象，仿佛是孙悟空的变化处处被二郎神克制。其实，这是一个错觉。

整场斗法，两人是你来我往，互有胜负。

在《西游记》中有一位高人的变化之术，明显在孙悟空和二郎神之上。那人就是南海观音菩萨。

在降伏黑熊精的时候，观音陪同孙悟空前往。按照孙悟空定下的计策，由观音菩萨变作一个妖道凌虚子（苍狼怪）。观音菩萨只是见了苍狼怪一面，变化之后，就能毫无破绽。原文说：

“尔时菩萨乃以广大慈悲，无边法力，亿万化身，以心会意，以意会身，恍惚之间，变作凌虚仙子。行者看道：‘妙啊，妙啊！还是妖精菩萨，还是菩萨妖精？’”

孙悟空乃是变化高手，他的评语看似戏谑，其实正是对变化之术的最高评价——分不清眼前的到底是妖精变成的菩萨，还是菩萨变成的妖精——将虚实之间的界限完全抹去。

在《封神演义》中，二郎神登场时则是这样描述的：“这道人带扇云冠，穿水合服，腰束丝绦，脚登麻鞋。”二郎神就是一个普通的道人形象。若二郎神有第三只眼，登场时必然会有重点描写。不单在出场时二郎神的形象如此，即便是翻遍全书，我们依然找不到任何一处关于二郎神有第三只眼的描述。在《封神演义》中有第三只眼的，不是二郎神，而是闻太师。

那么，二郎神为何会被后人加上第三只眼呢？这和清朝时期的二郎神崇拜有关。

在清代的许多戏曲、小说中，二郎神不单单是镇守灌江口的一个水神，而且化身为一个能够看破世间邪恶、秉持公义的超级正神。比如《聊斋·席方平》故事中，阎罗王贪污受贿，最终就是被二郎神正法的。

第三只眼，其实就是天眼，就是正义之眼。古代老百姓受到冤屈控诉无门，只能寄托神灵庇佑。二郎神的第三只眼，也就应运而生。

所以，就《西游记》来说，二郎神确实没有第三只眼。

关于二郎神的另一个热门话题，则是他与孙悟空谁更厉害。

第三十一节　小圣施威

《西游记》第八回的回目叫作“小圣施威降大圣”，仿佛二郎神真的打赢了孙悟空一样。在第六十三回，孙悟空亲口告诉猪八戒："但内有显圣大哥，我曾受他降伏，不好见他。"猴哥也认为，二郎神打赢了他。

那么，二郎神真的打赢了孙悟空吗？

我们细看第八回，就会发现，二郎神无论是比拼武艺，还是比斗法术，只能说和孙悟空旗鼓相当。

真正降伏孙悟空的，根本不是二郎神。

论武艺，二郎神是西游世界中唯一和孙悟空旗鼓相当的仙人。

多数妖王与孙悟空大战二三十回合就落败，极少数妖王能够与孙悟空大战五六十回合不分胜败，然后就是使出法宝来。为什么不继续打呢？因为若继续打，在武艺上就要落败。

二郎神则不然，原著说："真君与大圣斗经三百余合，不知胜负。"两个人都明白，在武艺一道上再打下去也枉然，于是，二郎神首先放弃比拼武艺，转入斗法。

斗法，在很多读者印象中，是二郎神力压孙悟空，其实不然。

原著中的斗法情节写得非常精彩。两人之间的斗法，可以按照方式的不同，分成两个场次。

第一场，法天象地之争。

二郎神施展法天象地神通，孙悟空也施展法天象地神通——有作者据此认为，二郎神和孙悟空是同一师父。我认为，证据不够充分。《西游记》没有交代二郎神的师父是谁，但是详细交代了孙悟空学艺的情况。孙悟空学的是上品天仙诀、地煞七十二变、筋斗云，并没有提到法天象地。那孙悟空为什么会施展呢？原因还要从孙悟空大败混世魔王后的自述中找寻答案。别的猴子说混世魔王会驾风摄人，孙悟空说：“我如今一窍通，百窍通，我也会弄。”学会上品天仙诀，让孙悟空拥有了长生和强大的神通根基。学会七十二变，让孙悟空可以变成世间万物。这法天象地，其实就是孙悟空领悟地煞七十二变后拥有的神通，在初次得到金箍棒的时候，猴哥就已经在众人面前施展过。

这场斗法最终以孙悟空主动败退告终。是孙悟空本人不敌吗？不是。

原著中说：“大圣忽见本营中妖猴惊散，自觉心慌，收了法象，掣棒抽身就走。”

原来，在孙悟空大战二郎神的同时，梅山六圣率领一千二百草头神猛攻花果山群猴。孙悟空回到花果山后，虽然也吩咐群猴日夜操练武艺，但没有一处提到传授群猴仙法。那些猴子虽然在生死簿中被抹了姓名，但不过是身体强健些，与懂得法术的真正的仙人相比，差得十万八千里。他们平常充门面可以，打起仗来，几乎可以说是一触即溃。

看到猴子猴孙惨叫哭嚎，大圣心中慌乱，于是败退。可以说，在这场大战中，战败的是群猴而非孙悟空，获胜的是梅山六圣、草头神而非二郎神。

第二场，比拼变化之术。

法天象地是在短时间内燃烧大量法力、迅速提升力量的一门神通，比拼的是双方的功底深浅。变化之术则是考察双方对万物的了解，以及对法力的细微掌控。惟妙惟肖，可堪乱真，是变化之术的高级境界。

前文提过二人比斗变化之术，总体来说，他们都是依靠对手出错，方才辨识。两人对于变化之术的掌握，可谓五十步笑百步，谁也不比谁高明。

在二郎神识破孙悟空变化小庙后，孙悟空变成二郎神，大摇大摆走入灌口二郎神庙宇。里面判官热情相迎，满堂神仙谁也没有看出破绽。

作者为何要写这个桥段？

那就是告诉读者，孙悟空的变化之术其实并不差——孙悟空变成的二郎神，连天天跟在二郎神身边的判官都不能看出破绽。

而从战略眼光来说，二郎神也不是什么帅才，比之孙悟空，两人又是半斤八两。

刚到花果山，二郎神就吩咐李天王，无论输赢，都不用别人出手。李天王本来布下十八架天罗地网，把花果山围得水泄不通。二郎神一到，就让撤去顶上罗网——在二郎神看来，严防死守只能让花果山群妖拼死抵抗，给其留一线生机，反倒可以擒拿住妖猴。

事实证明，二郎神的这个决策根本就是错误的。在变成小庙被识破后，孙悟空纵筋斗云，眨眼工夫就离开了花果山，跳出了天罗地网。若在此时，孙悟空不管花果山群猴，尽管逍遥自在去，二郎神就只有哭了。在李天王照妖镜的帮助下，二郎神找到了孙悟空的踪迹。见到二郎神到来，孙悟空说：“郎君不消嚷，庙宇已姓孙了！”人家猴哥根本没想掩藏形迹，只是想要戏弄下高高在上的二郎神。

二郎神与孙悟空一战，比较靠谱的表述是什么？

用原文中观音菩萨的一句话来总结，最为中肯。观音邀请太上老君、玉皇大帝同到南天门观战。

观音说："贫僧所举二郎神如何？果有神通，已把那大圣围困，只是未得擒拿。我如今助他一功，决拿住他也。"

事实是，当时两人交战，在梅山六圣的帮助下，二郎神是困住了孙悟空，但还没有擒拿住孙悟空。

真正降伏孙悟空的是谁呢？看原文：

"猴王只顾苦战七圣，却不知天上坠下这兵器（金刚琢），打中了天灵，立不稳脚，跌了一跤，爬将起来就跑，被二郎爷爷的细犬赶上，照腿肚子上一口，又扯了一跌。急翻身爬不起来，被七圣一拥按住，即将绳索捆绑，使勾刀穿了琵琶骨，再不能变化。"

真正降伏孙悟空的，不是二郎神，而是太上老君。若不是他老人家出手，二郎神绝不可能成功擒拿孙悟空。

前文提过，太上老君就是菩提祖师。那么，既然孙悟空乃是太上老君的徒弟，太上老君为何要胳膊肘往外拐，帮助外人打自家人呢？

第三十二节　老君偷袭

先看当时正面战场的局势："这康、张太尉等迎着真君，合心努力，把那美猴王围绕不题。"在梅山六圣的帮助下，二郎神已经困住了孙悟空。虽然短时间还不能降伏，但是合围之势已成，孙悟空低头已经是迟早的事情。

更何况，玉皇大帝有心终结这场游戏。他说：“既是二郎已去赴战，这一日还不见回报。”既然是观音举荐二郎神，二郎神胜，则观音有面儿；若二郎神败，观音也丢脸。玉皇大帝说二郎神一去都一天了，言下之意很是不满。观音菩萨当即表态：“贫僧请陛下同道祖出南天门外，亲去看看虚实如何？”

观音此话何意？

孙悟空的厉害，观音早就通过木叉，了解到了七分。但是，她想不明白的是，实力与木叉仿佛的孙悟空，凭啥能斗过天庭诸神呢？这天庭星宿当中，藏龙卧虎，高手可实在不少呢！通过一天（《西游记》中的天庭时间表述基本以人间时间为准）的思考，观音菩萨隐然发现，天庭群仙在集体放水，背后的大人物极有可能就是太上老君。

为此，她特意邀请玉皇大帝和太上老君共同到南天门外，亲自观看战斗。

有玉皇大帝在现场，群仙必然不敢藏拙，二郎神也会更加奋勇。有玉皇大帝在现场，太上老君只能收敛形迹，作忠心姿态。毕竟，在当时的形势下，太上老君还没有足够的实力公然叫板玉皇大帝。

观音更提出：“贫僧所举二郎神如何？果有神通，已把那大圣围困，只是未得擒拿。我如今助他一功，决拿住他也。”

观音菩萨明确表示，自己要出手，以助二郎神成功。

在这样的情形下，太上老君只能亲自出手降伏孙悟空。因为只有亲自出手，才可以把握好轻重，才不至于伤害到孙悟空。

太上老君用什么理由劝阻观音出手呢？

观音说要用玉净瓶打孙悟空："即不能打死，也打个一跌，教二郎小圣好去拿他。"太上老君笑呵呵说："你这瓶是个磁器，准打着他便好，如打不着他的头，或撞着他的铁棒，却不打碎了？"

太上老君的这个理由，其实根本不成立。观音菩萨的玉净瓶乃是一件罕见法宝，在后文降伏红孩儿时，这小小玉净瓶曾经装下一海之水，孙悟空连搬都搬不动。玉净瓶能装载一海之水，其本身的硬度也必然达到惊人的地步。

若观音菩萨真的出手，在玉净瓶一击之下，孙悟空不死也要重伤。

太上老君的理由虽然很搞笑，但人家的身份摆在那里，观音也不好强出头。

她询问："你有什么兵器？"太上老君从左胳膊上取下金刚琢（从此点可见，后文太上老君说青牛精私自下逃，纯属谎言）说："这件兵器，乃锟钢抟炼的，被我将还丹点成，养就一身灵气，善能变化，水火不侵，又能套诸物；一名金刚琢，又名金刚套。当年过函关，化胡为佛，甚是亏他，早晚最可防身。等我丢下去打他一下。"

太上老君这句话中信息量极大。

其一，金刚琢乃三界罕见的通灵法宝。本体由锟钢锻造，还融入许多九转大还丹，使得金刚琢有了通灵之意。金刚琢功能强大，在青牛精故事中，仅仅是表现了能套诸物这一特性，对于金刚琢善能变化则没有充分表现。金刚琢应该还有没展现出来的强大功能。

其二，太上老君乃是佛派创派祖师。太上老君亲口点出自己曾经“化胡为佛”，看似不经意，其实是有意为之。虽然如今的佛派乃是如来主事，但太上老君昔日的弟子燃灯古佛等人，在佛派依然有着不容小视的力量。观音要想提升实力，与太上老君结盟是不错的选择。

其三，金刚琢出马，必然降伏孙悟空。

听太上老君如此果决，观音不好阻止。太上老君随手一丢，这金刚琢从九霄之上飞下，“可可的着猴王头上一下”。

被这无坚不摧的金刚琢打中脑袋，孙悟空有没有受伤呢?

“（孙悟空被）打中了天灵，立不稳脚，跌了一跤。”孙悟空只是跌了一跤，立刻能爬起来就跑。可就是这跌一跤的空隙，细犬冲上，咬了孙悟空一口，孙悟空再次跌了一跤。这下子孙悟空“急翻身爬不起来，被七圣一拥按住”。

大家看看，被金刚琢砸一下，孙悟空翻身就能跑，被细犬咬一下，孙悟空却跑不动了。由此可见，太上老君对孙悟空根本没舍得下重手。

另外，孙悟空折腾得也差不多了，太上老君通过孙悟空传递的信号，玉皇大帝也基本收到了——天庭这么多星宿，那都是怕我太上老君的。

第三十三节　老君苦心

二郎神抓住孙悟空后，孙悟空被押在斩妖台上，但任凭对他刀砍斧剁、枪刺剑刳，都不能伤他分毫。孙悟空修仙走的不是炼体路线，但毕竟已经到了天仙境界。之后，南斗星君让火神放火，让雷神放电，孙悟空依然没事。

孙悟空的身体什么时候变得这么坚硬了？

孙悟空初回花果山，和混世魔王交战时，混世魔王挥舞一把普通的魔刀，孙悟空都不敢正面招架，最后只能用毫毛变化出几百小猴，勉强弄死了混世魔王。当初，菩提祖师传孙悟空长生诀，其中讲到，修习此法，可以达到“不生不灭体”境界。但是，这距离金刚不坏还很遥远。菩提祖师曾威胁孙悟空，不得泄露他的名字，否则他会将孙悟空剥皮锉骨，将神魂困在九幽之下。

由此可见，大闹天宫前的孙悟空，身体的强度平平。随便一个天尊，都可以把孙悟空彻底灭杀。

可如今，孙悟空为何变成打不死的“小强”呢？

玉皇大帝看如此，说：“这厮这等，这等，如何处治？”以他大天尊的手段，竟然也很难直接弄死孙悟空。

太上老君主动出列，说出孙悟空身体变强的秘密——“那猴吃了蟠桃，饮了御酒，又盗了仙丹。我那五壶丹，有生有熟，被他都吃在肚里，运用三昧火，锻成一块，所以浑做金刚之躯，急不能伤”。

蟠桃吃了，只能延年益寿，御酒喝了，只能增强气力，都和炼体无关。真正改变孙悟空的，是太上老君的五葫芦仙丹。吃了这么多仙丹，孙悟空竟然就变成了金刚不坏之身。甚至即便是大天尊级别，也轻易无法伤到孙悟空。

如今，孙悟空闯下大祸，不惩罚是不行的。太上老君主动请示：不如让我领去，放在八卦炉中，以文武火（小火、大火）反复炼化，经过七七四十九天，吃掉的金丹必定再现，而孙悟空则变成灰烬。

玉皇大帝没有理由拒绝。

最后结果如何呢？大家都知道，四十九天后，孙悟空推倒八卦炉，再度大闹天宫。

能炼化天下万物的八卦炉，为何就烧不死孙悟空呢？

八卦炉当然是可以烧死孙悟空的。可是，太上老君放水了，他用炼化孙悟空的借口，从玉皇大帝手中救走了孙悟空。因为玉皇大帝虽然一时想不到好办法收拾孙悟空，但万一元始天尊、灵宝天尊出手相助呢？

有证据证明太上老君放水吗？有。

第一处，孙悟空被投入八卦炉之前，太上老君先把绑孙悟空的绳子解开，把穿琵琶骨的刀拿了出来。书中提到，刀穿琵琶骨，孙悟空就无法使出变化之术。若太上老君真想炼死孙悟空，何必将绳索解开，把神刀取走呢？

第二处，太上老君的八卦炉玄妙异常，其中按照八卦方位，有一处巽位，只有风而没有火。孙悟空投入八卦炉后四十九天都缩在那里，不敢乱动。虽然风吹来一些烟火气，但总算是没有伤及性命。

太上老君是八卦炉的主人，他当然知道八卦炉这个秘密。正是他开放了巽位，让孙悟空可以成功避难。

第三处，太上老君根本没有用独门秘法三昧真火炼化孙悟空。红孩儿与孙悟空斗法，曾经用出三昧真火，孙悟空必须一直捏着避火诀，所以无法战斗。后来他被烟喷到，无法捏诀，于是被烧成重伤，连飞行也不成，直接从空中摔入山涧中昏死过去。可见，若太上老君用三昧真火持续烧猴哥，猴哥会被烧得连渣子都不会剩。

太上老君是用什么烧了孙悟空四十九天呢？在原著第三十九回，孙悟空为救死了的朱紫国国王上天求太上老君给个还魂丹，太上老君一语道破天机。他说："……在我丹炉炼了四十九日，炭也不知费了多少。"原来，当初太上老君让童子只是用寻常的炭来烧八卦炉。难怪孙悟空不死。

第四处，四十九天到期，烧火童子开炉后，忍耐许久的孙悟空暴怒，一路狂冲。童子和寻常力士都被孙悟空撞倒，太上老君上去拉，竟然被孙悟空摔了个倒栽葱。

啥时候太上老君变得这么无能呢？

太上老君正在高烧中，身体疲软，大失水准？当然不是。唯一的理解，是太上老君故意让自己出丑，让玉皇大帝不好追究放走孙悟空之罪。即便问责，他也可以回答："老道实在尽力了，摔得差点脑震荡了。”

经过太上老君一番锻炼，孙悟空除了落下一个怕烟熏的毛病，竟还得到一双火眼金睛。这是意外收获吗？当然不是，是太上老君再度送礼。

前一次，孙悟空偷金丹，修成金刚不坏之身。这一次，进丹炉，又习得火眼金睛。孙悟空除了七十二变、筋斗云之外，再多了两样神通：金刚不坏之身，令其防御力超强，从此，孙悟空即便不逃跑，也变成打不死的小强；火眼金睛，擅能窥破幻境，正是万般变化的克星。此后，孙悟空的变化罕有人能识别，而别人的变化孙悟空却可轻易识破。

当初打伤孙悟空，是为了日后放孙悟空；说要炼化孙悟空，其实是要提升孙悟空实力。

太上老君这么做，一方面是因为孙悟空毕竟是他的弟子，心中多少还是喜爱的；另一方面，孙悟空修行太短，若没有更强的神通，根本不能执行难度更大的任务。

第三十四节　失败原因

从孙悟空修仙回家到被十万天兵围剿，一共有将近两百年的时间。在这两百年间，孙悟空一直在苦心经营花果山。

花果山鼎盛时期，可谓金城汤池。光全副武装的猴兵猴将就有四万七千之众，更有七十二洞妖王助战。各洞妖兵少则三五百，多则三五千。整个花果山论起全部妖兵，当有十万之众。可是，如此数量的妖兵，面临十万天兵，为何一战即溃，再战覆灭，丝毫无反抗之力呢？

主要原因，当然是玉皇大帝第二次围剿时不但派出了托塔李天王、哪吒等神仙，更派出了二十八宿、九曜星君、十二元辰等多路人马。不过，天庭势力强大仅仅是花果山落败的一个原因。

内部矛盾重重，看似强大，其实孱弱，这才是花果山防御战失败的真正原因。

孙悟空从傲来国得到兵器，武装起一支四万七千之众的猴妖大军后，花果山七十二洞妖王无不恐惧，纷纷来投。从此时开始，孙悟空成为花果山之主。可惜，孙悟空虽也有些小智慧，却过分相信个人武力，在统御部署时一再犯下低级错误。花果山群妖人数虽多，不过是一盘散沙而已。

作为花果山之主的孙悟空，究竟犯了哪些错误呢？

原文说："（七十二洞妖王）每年献贡，四时点卯。也有随班操演的，也有随节征粮的。齐齐整整，把一座花果山造得似铁桶金城。各路妖王，又有进金鼓，进彩旗，进盔甲的，纷纷攘攘，日逐家习舞兴师。"

太史公有一句名言，千百年来，被许多人奉为圭臬："天下熙熙，皆为利来；天下攘攘，皆为利往。"用大白话说，所有人那都是"无利不起早"。孙悟空组建猴妖大军，称霸花果山，群猴当然最高兴。他们从花果山平凡一猴，摇身一变，成了花果山万妖当中的贵族阶层。

七十二洞妖王呢？本来大家武艺相仿，割据一方，彼此相安无事。而孙悟空的出现，打破了这个平衡。昔日耀武扬威的七十二洞妖王，转眼间变成了花果山的二等公民。但凡见了猴兵，妖王们都要点头哈腰。孙悟空若是真会为帅，那就应当对花果山万妖一视同仁，论功行赏，以激励群妖，共同御敌。

事实是什么呢？

七十二洞妖王或者出兵，或者出粮，或者献宝。为了讨好孙悟空，他们煞费苦心。可是他们收获了什么呢？收获的，只是可以在花果山继续存活，当义工，当炮灰，当贱民。

孙悟空得到了金箍棒之后，自我感觉实力暴增，开始封赏群妖。最后，两个赤尻马猴被封为马流元帅，两个通背猿猴被封为崩芭将军。总之，都是猴子，并且是群猴中跟随孙悟空多年的心腹四老猴当了总管。他们负责安营扎寨，赏罚操练，成为孙悟空一猴之下、万猴之上的妖上妖。

作为一个领袖，最为重要的职责，就是用人。我们都知道，用人当唯才是举，处事当公平公正。可惜，真正能做到这点的领袖，少之又少。反而不少领袖任人唯亲，孙悟空即是如此。

光有义务，没有权利；光有付出，没有收获；光有惩处，没有赏赐——孙悟空如此驾驭下属，下属怎么可能会卖力？

孙悟空因嫌弼马温官小，反出天庭后，刚到花果山，就有两个独角鬼王求见。

这独角鬼王来历神秘，去向成谜。他们的出现，看似偶然，其实也是一种必然。

为何这么说？

孙悟空刚回花果山，心中充满了不甘和郁闷。此时，独角鬼王求见。这鬼王虽然是第一次见孙悟空，却深知孙悟空的脾性，每一句话都切中孙悟空之要害。

独角鬼王来见，是整顿衣衫，倒衣下拜，恭敬万分。孙悟空大喜，问鬼王为何前来。鬼王回答："久闻大王招贤，无由得见，今见大王授了天箓，得意荣归，特献赭黄袍一件，与大王称庆。肯不弃鄙贱，收纳小人，亦得效犬马之劳。"

鬼王这话，全是鬼话，可孙悟空听了，很是舒服。

孙悟空刚刚回来，独角鬼王立刻求见，可见他们等候了许久。他们本可以在孙悟空不在时，求见四老猴，但若那样，得到的回报也必然小很多。孙悟空因在天庭受到冷遇，独角鬼王就送赭黄袍（帝王才能穿这种袍子）。他们献袍的目的很纯粹，希望孙悟空造反，称王称帝。

鬼王问孙悟空在天上担任什么职务，孙悟空愤愤然说是弼马温。这鬼王说："大王有此神通，如何与他养马？就做个齐天大圣，有何不可？"

大家看看，这鬼王竟然和通背猿猴一样，又是一个博学多闻的先知型妖怪。早先，孙悟空连弼马温是什么官都不知道，可地上这独角鬼王，一听就明白，并且告诉孙悟空，咱不给他养马，咱要做齐天大圣。

这独角鬼王的一句话，改变了孙悟空的人生。

孙悟空立刻换衣服，摆开班列，接见群妖朝拜。孙悟空一扫郁闷，大喜之下封独角鬼王为前部总督先锋，统率七十二洞妖王兵马。

孙悟空是高兴了，独角鬼王也满意了，可是，七十二洞妖王呢？

大家辛辛苦苦跟随孙悟空，已经做了几十年的苦力，有不少妖王巴望能够脱颖而出，成为其中佼佼者。可是，孙悟空一声令下，一个外来汉，靠着溜须拍马，就成了他们的头头儿。

民间有一句话：“说你行，你就行，不行也行；说不行，就不行，行也不行。”这差不多可以形容七十二洞妖王苦闷的心理吧！

当李天王带领十万天兵前来征讨时，孙悟空还在喝酒。猴兵连续禀告，孙悟空却说：“今朝有酒今朝醉，莫管门前是与非。”这种气概，和当年霸王项羽在垓下被围时只知道和虞姬喝酒舞剑相仿。

等到九曜星君都打到水帘洞门口了，孙悟空才大怒发兵。

此时，若孙悟空明白事理，应当亲自出马，统率四老猴率领精锐猴兵迎战。唯有如此，才能大败天兵，才能振奋士气，才能激励花果山十万妖兵。

可是，孙悟空“即命独角鬼王，领帅七十二洞妖王出阵，自己领四健将随后”。

想那独角鬼王不过是靠着溜须拍马当上了总督先锋，七十二洞妖王怎么服气？一战之下，这拨人被九曜星君拦在铁板桥头，连洞口都出不去。

孙悟空没法子，只能亲自出马，击退了九曜星君，终于把兵马拉出了水帘洞，摆开阵势。

托塔天王调出四大天王和二十八宿，率领十万天兵进攻。孙悟空也派出独角鬼王，带着七十二洞妖王迎战，四健将则带着四万七千猴兵在后面摇旗呐喊。

这一场大战，从上午太阳初升杀到下午太阳落山。原文说："那独角鬼王与七十二洞妖怪，尽被众天神捉拿去了，止走了四健将与那群猴。"

这说明了什么呢？说明孙悟空纯粹把独角鬼王和七十二洞妖王、妖兵当炮灰。

孙悟空如此统兵，怎能不败？

可孙悟空对此竟然毫无察觉。或者说，他根本不觉得这么做有错。

再回到洞中，四健将见了孙悟空，哽哽咽咽大哭三声，又嘻嘻哈哈大笑三声。孙悟空问原因，四健将说："今早帅众将与天王交战，把七十二洞妖王与独角鬼王，尽被众神捉了，我等逃生，故此该哭。这见大圣得胜回来，未曾伤损，故此该笑。"

作为猴妖出身的将领，四健将虽然对七十二洞妖王有同情之心（大哭），但毕竟亲疏有别，更关心猴妖的死活（大笑）。他们说这番话，合情合理。

可作为三军统帅、花果山之主的孙悟空不能这么想，这么说。但让人寒心的是，孙悟空不但这么说了，并且说得比四健将还要无情。他说："胜负乃兵家之常。古人云：杀人一万，自损三千。况捉了去的头目乃是虎豹狼虫、獾獐狐狢之类，我同类者未伤一个，何须烦恼?”

在孙悟空看来，打仗那就要死人，很正常。况且，死的都不是猴子，根本不需烦恼。

但世间事情犹如多米诺骨牌，只要有一块牌被推倒，就会引发无休止的连锁反应。事实证明，孙悟空任人唯亲，赏罚不明，重用溜须拍马之徒的举动，葬送的不仅仅是七十二洞妖王，还有四万七千猴兵以及整个花果山的霸业。

第三十五节　五圣下落

孙悟空曾与牛魔王等六魔结拜，共称“七大圣”。从孙悟空和牛魔王的实力来看，这七大圣绝对是人界最强的妖魔。当天兵来临，为何六位义兄一个没来？而且，在此后的取经路上，除了牛魔王闪亮登场，其他五大圣竟神秘消失，这是怎么回事?

我们先看看，七大圣是如何走到一起的。

在斩杀混世魔王之后，孙悟空初步认识到兵器的重要性。他行动起来，先跑到傲来国，抢来了兵器，武装起一支四万七千只猴子的大军。之后，他自己没有趁手的兵器，就跑到龙宫，半借半抢拿来了金箍棒。他知道惹了龙王，把事情搞大了，于是“日逐腾云驾雾，遨游四海，行乐千山。施武艺，遍访英豪；弄神通，广交贤友”。

孙悟空明白，要想干成大业，光靠自己单干是不行的，必须找到好帮手。于是，他在安顿好花果山后，每天到各处结交大神通的魔王。在这样的情况下，他认识了其他六个弟兄。

也就是说，孙悟空是想借助六大魔王的势力，提高自己的地位，扩大自己的影响，而一旦有事，又可引为强援。

孙悟空是如此想，那其他六大魔王呢？当然也是如此想。

也就是说，七大魔王走到一起，本就不是因为情义。大家都因为势力强大，担心会引起天庭的关注才彼此借重、彼此利用。

之后，孙悟空去了天界，受了仙箓，一去就是十多年。后因恼了弼马温官小，反出天庭，又因独角鬼王的劝说，自称齐天大圣。天庭派兵征讨时，孙悟空大败巨灵神和哪吒。初次扯旗造反，孙悟空获得大胜。

此时，六个义兄听到消息，都来祝贺。六位魔王为何此时前来？要知道他们都是一天可游遍四海的大魔头，必然早就知道孙悟空回到人界的消息。因为他们一直在观望。一直等到天兵天将被孙悟空打退，六兄弟才赶来祝贺。

在这样的情况下，孙悟空提议："小弟既称齐天大圣，你们亦可以大圣称之。"在六魔王听来，孙悟空这句话既是炫耀，又是挑衅。我这个老七都敢称齐天大圣，你们敢吗？

之后，是长久的沉默。许久，牛魔王忽然高叫道："贤弟言之有理，我即称做个平天大圣。"然后，其他五兄弟纷纷应和。从此可以看出，其他五大圣即便神通不弱，但都是没有胆色的主。唯独牛魔王，豪气不在孙悟空之下。在七兄弟的名号中，牛魔王的平天大圣也最是霸气。

孙悟空是齐天大圣，与天相等。牛魔王却是平天大圣，把天也要削平。至于其他五大圣，多是对自己神通的夸赞，没有挑战天庭的意味。如复海大圣蛟魔王，自然水下功夫了得；混天大圣鹏魔王，自然飞行速度奇快；移山大圣狮驼王，神力惊人；通风大圣猕猴王，迅捷如风；驱神大圣禺狨王，当是法术精奇，即便神仙也可驱使。

天庭在围剿孙悟空之后，为何没有追杀六大魔王呢？牛魔王在西方路上称霸一方，名气极大，为何没有人称他为“平天大圣”？这个外号可比“大力王”牛多了。

只因六大魔王虽在宴会上自封大圣，但回到自己地盘后，并没有一人敢像孙悟空一样扯旗造反。

而且，从二上天庭、受封齐天大圣起，孙悟空就和六大魔王失去了联系。

也难怪，孙悟空这一去将近半年，在人界也就是过了一百六七十年。亲兄弟长期不联系都会疏远，更不要说孙悟空与牛魔王这种酒肉朋友了。

孙悟空偷蟠桃，偷仙丹，反下天庭。在天上也就是小半天工夫，玉皇大帝就派李天王领兵征讨，但这在人间也过了数月。可六大魔王无一人前来花果山。

六大魔王必然怨恨孙悟空，说好的同享富贵呢？上了天庭一百多年，也不知道拉哥哥们一把。既然不能共富贵，那也别期望共患难。

若孙悟空还能击败天庭兵马，想必那六个魔王还会及时出现前来捧场。这世间，从来都是锦上添花易，雪中送炭难。

此后，六大魔王掩藏起和孙悟空交往的经历，低调而幸福地生活着。蛟魔王等五大魔王分散在人界的东、南、北、中方位，而孙悟空此后参加取经行动一路西行，自然遇不上。唯有牛魔王太背，住在西方，且妻子、孩子先后干扰了取经大业，最终只落得被斩首、被降伏的可悲结局。

第三十六节　佛祖上天

孙悟空从八卦炉中逃出后一路打到通明殿，先被王灵官挡住，后又被三十六雷将包围。

此时，玉皇大帝邀请如来前来降妖。如来听闻，告诉诸位门徒："汝等在此稳坐法堂，休得乱了禅位，待我炼魔救驾去来。"

事实果然与如来预料一样，孙悟空很顺利地被镇压在五行山下。

不过，在镇压妖猴的时候，如来有一个举动，引起读者议论纷纷。原文说："佛祖翻掌一扑……将五指化作金木水火土五座联山，唤名'五行山'，轻轻的把他压住。"

如来既然是前来炼魔救驾，为何仅仅是将孙悟空"轻轻"压住呢？

要理解这个问题，首先要明白，玉皇大帝为何放弃天庭群仙，派人到下界去请西方佛老如来。

孙悟空从兜率宫闯出来，因为种种原因，一路上竟然没有什么神仙阻拦，仅仅是在通明殿前，遭遇了值班的仙官王灵官。王灵官与孙悟空大战，短时间不分胜败。之后，天庭就派出了负责治安的三十六雷将，将孙悟空困住。

也就是说，在如来到来之前，孙悟空一直都被困在通明殿。玉皇大帝则一直安稳地待在灵霄宝殿。所谓孙悟空大闹天宫，其实连玉皇大帝的面都没见到。

此时，玉皇大帝完全可以指令天庭某些高层，出面降伏孙悟空，但是玉皇大帝没有，反倒派人去请如来。

玉皇大帝之所以如此，有两个原因。

其一，请如来出手，属于常规安排。

在天庭群仙中，已经明确出手的仙官有二十八宿、十二元辰、九曜星君，还有一些参加出征，但仅仅是摇旗呐喊的东西星斗、南北二神、五岳四渎、普天星相。

这些出手的仙官覆盖面极广，基本涵盖了五方五老之下的所有仙官，诸如六元（南斗群星）、七司（北斗群星）、八极（八方群星）。

既然六元以下的仙官都已经出面，且无法搞定孙悟空，那么，六元之上，自然就轮到五方五老了。

其二，天庭群仙集体放水，让玉皇大帝很恼火。

孙悟空的真实本领到底如何，从与哪吒、木叉、二郎神的比斗中，玉皇大帝必然可以做出清晰的判断。以孙悟空之能，绝不能对抗普天星相。可十万天兵的败局摆在面前。唯一的解释就是，天庭群仙集体放水。

除了玉皇大帝，还有谁在天庭有这么大的能量，能够挟制如此多的仙人呢？

思来想去，玉皇大帝想到的，只有太上老君。应当说，从这一刻开始，玉皇大帝就明白，孙悟空的背后站的是太上老君。

于是，邀请极少上天、和天庭群仙几乎没有关联的人间西方佛老上天降伏妖魔，就成了玉皇大帝的最佳选择。

那么，如来是怎么做的呢？

如来登场，先做了一番自我介绍，然后笑呵呵地询问："今闻你猖狂村野，屡反天宫，不知是何方生长，何年得道，为何这等暴横？"

在灵山时，如来说话霸气十足，可来到天庭，见到了妖猴孙悟空，却再三打探孙悟空的家庭背景、师承来历。可以说，他也猜到，孙悟空能如此暴横，背后必定是有人撑腰。

如来可以轻松降伏孙悟空，却不愿意得罪孙悟空背后的人。

孙悟空自然不服，他很骄傲地把自己的出身来历说了一遍。从孙悟空的自述中，如来了解到孙悟空乃天生石猴，住在花果山水帘洞，曾经得名师指点，如今要夺取玉皇大帝宝座。

如来先告诉孙悟空，玉皇大帝经历无数大天劫，相当厉害，不是孙悟空所能比的，见孙悟空不为所动，然后说："你除了长生变化之法，再有何能，敢占天宫胜境？"

如来想从神通法术这里入手，探寻孙悟空背后的高人。

之后，双方斗法。孙悟空施展独门秘术筋斗云。若非如来有慧眼神通，及时施展幻术，如来也不易胜出。

胜利之后，如来没有按照约定，让孙悟空回到花果山，重做妖王，而是直接把孙悟空压在了五行山下。

因为如来到此刻已经基本上猜到了孙悟空背后的高人就是太上老君。

孙悟空除了遁术奇快，其他武艺、神通在如来面前只能算平平。面对如此一个孙悟空，满天仙人为何降不住？如来必然思考这个问题。

玉皇大帝为何不让他人出手，而要邀请如来上天降妖？一定是有让玉皇大帝忌惮的人。

能够让玉皇大帝视为对手，忌惮有加的，除了道祖太上老君还有谁？若非如此，满天星宿为何齐齐放水？

正因为料到了孙悟空背后的高人，如来才会轻轻将孙悟空压下。

若如来把孙悟空炼化，必定会触动孙悟空背后的力量；但若是不擒拿孙悟空，又会见怪于玉皇大帝。在左右权衡之下，如来选择了将孙悟空镇压在五行山下，却又仅仅是轻轻地压下。

第三十七节　如来哄我

在西游世界里，佛派一直是相对独立的存在，他们集中居住在西牛贺洲。另有极少数居住在他处，比如南海观音、东方极乐世界的弥勒佛。佛派佛级也好，菩萨级也好，没有一个人住在天上。也就是说，佛派和孙悟空没有特殊关系。

由如来出手，应当不会放水。

那玉皇大帝为何不出手呢？玉皇大帝是天庭之主，即便如来不行，那还有四帝嘛。小小妖猴孙悟空还没有到需要玉皇大帝出手的级别。那么，孙悟空为何翻不出如来的手掌心呢？

我们先看双方初次见面时的态度。

如来听闻玉皇大帝传召，只是带了阿傩、迦叶二尊者，并吩咐众菩萨道："汝等在此稳坐法堂，休得乱了禅位，待我炼魔救驾去来。"不带帮手，是觉得孙悟空没什么了不起，自己百分百可以搞定。带二尊者不是为了相帮，而是佛祖出行，最少应该有的排场。

孙悟空呢？他也完全不把如来放在眼里。如来让雷部众将退下，孙悟空喝道："你是那方善士，敢来止住刀兵问我？"如来说明身份，孙悟空毫不畏惧，依然嚷着要抢了玉皇大帝的宝座。

如来强调玉皇大帝是历经多少千万年的修行，才有如今高位。孙悟空却说："他虽年劫修长，也不应久占在此。"在小胜面前，孙悟空有点忘乎所以，真的觉得天庭无仙可以阻拦自己。在这样的情况下，双方的比斗开始。

在武斗开始前，是文斗。

如来问："你除了长生变化之法，再有何能，敢占天宫胜境？"孙悟空说："我的手段多哩！我有七十二般变化，万劫不老长生。会驾筋斗云，一纵十万八千里。如何坐不得天位？"

如来不愧是无数万年的修行，简单一句话，就激得孙悟空把底牌全部说出，而孙悟空对如来却一无所知。

如来提议进行一个赌赛。他说："我与你打个赌赛：你若有本事，一筋斗打出我这右手掌中，算你赢，再不用动刀兵苦争战，就请玉皇大帝到西方居住，把天宫让你；若不能打出手掌，你还下界为妖，再修几劫，却来争吵。"

大家细细品味如来这句话，可谓字字都是陷阱。孙悟空三大神通中，最牛的是什么？不是长生术，不是变化之术，而是筋斗云。满天神佛，还真没有几个在飞行速度上赶得上孙悟空。如来让孙悟空拿最强的神通来比试，以孙悟空争强斗狠的性格，怎么会不答应？但一答应，就中招。

况且，如来还说，若是孙悟空赢了，他做主接玉皇大帝去西天，让孙悟空做天庭之主；若是孙悟空输了，还可以下界做妖王自由自在。在如来的赌赛中，无论输赢，孙悟空都有赚无赔。

可最后呢？如来背弃了当初的承诺，在赌赛"胜利"——如来单方面认可的胜利——后，没有放走孙悟空，而是将他压在五行山下。

如来为什么要骗孙悟空？

最可能的真相，是如来觉得，其他的神通都无法降伏孙悟空。可一旦孙悟空跳入他的如来神掌中，他就有办法百分百赢得赌局。

莫非这如来神掌中有啥猫腻？还是如来有啥别的特殊神通？

孙悟空翻一个筋斗，就是十万八千里，如来的手掌不过荷叶大，孙悟空为何不能跳出如来掌心呢？

书中是这么写的："那大圣收了如意棒，抖擞神威，将身一纵，站在佛祖手心里，却道声：‘我出去也！’你看他一路云光，无影无形去了。佛祖慧眼观看，见那猴王风车子一般相似不住，只管前进。”

原来，孙悟空其实早就跳出了如来的手掌，可是如来有一种特别的神通，即“慧眼”，可以看见极远之地的景象。

之后，孙悟空见到五根柱子，然后尿尿、留言。

孙悟空得意扬扬地回来，邀请如来去看天尽头的柱子。如来却说孙悟空是个尿精猴子，并举起手掌为证——“原来佛祖右手中指写着‘齐天大圣到此一游’。大指丫里，还有些猴尿臊气”。

若孙悟空不在撑天柱上留言、尿尿，那如来还真拿不出什么凭证。

对此，孙悟空怎么看？他大吃一惊，连连说：“有这等事，有这等事！我将此字写在撑天柱子上，如何却在他手指上？莫非有个未卜先知的法术。我决不信，不信！等我再去来！”

孙悟空的第一个猜测，是如来会未卜先知。不过，未卜先知乃是超级大神通。除了当初他的师父展现了一二分之外，孙悟空从没亲眼见到任何人施展。

孙悟空连说两个不信，一是不信如来神掌这么厉害，二是不信如来会未卜先知。他提出，自己要重赛。可是，如来不容分说，就将手掌化为五行山，将孙悟空压下。

那么，孙悟空究竟有没有跳出如来手掌呢？经过五六百年时间的反复思考，孙悟空得出一个结论：如来哄我！

在五行山下的五六百年，孙悟空无事可做，估计想得最多的，就是与如来的这一战了。孙悟空的这句话，应当就代表了真相。如来是以欺诈的方式取得了胜利。如来隐藏了他身具“慧眼”的超级神通，伪造了“齐天大圣到此一游”的所谓罪证，根本不给孙悟空辩驳的机会。

如来本来答应孙悟空，即便孙悟空输了，也可以下界为妖王。可在取胜之后，如来立刻翻脸，把孙悟空压在五指山下。身为佛派之主的如来，为何做出此等事情呢？

因为他太需要一场胜利了。

第三十八节　安天大会

本来，如来为玉皇大帝降妖除魔，乃是下属的本分。如来也是明白自己和玉皇大帝的身份差距的。在压了孙悟空后，他立刻带着两个徒弟想要回灵山。因为他若迟疑些，就有居功自傲之嫌。就在此时，天蓬（猪八戒）、天佑两位大仙快步赶来，请如来慢走，说玉皇大帝就要来。

听闻三界之主要来，如来很激动。他虽然也是一方之祖，却常年住在人间，一般只有每三百六十年一次的蟠桃盛会，才有机会见到玉皇大帝。书中写“佛祖闻言，回首瞻仰”，态度那是相当恭敬的。

一会儿，玉皇大帝来了，亲口感谢如来说：“多蒙大法收殄妖邪，望如来少停一日，请诸仙做一会筵奉谢。”如来心中大喜，合掌感谢说：“老僧承大天尊宣命来此，有何法力？还是天尊与众神洪福。敢劳致谢？”

之后，玉皇大帝让雷部众神分头去请众仙，诸如三清、四帝、五老、六司、七元、八极、九曜、十都，全部都要到场。

仅仅是降伏了孙悟空，就值得把三界顶级存在的仙人们都叫来开会吗？

玉皇大帝明显另有目的。

在孙悟空连番大闹中，玉皇大帝看出了一些端倪，尤其是对孙悟空和太上老君的关系起了很大疑心。只是，这种事情没有法子放到台面上讲。玉皇大帝也找不到太上老君破坏天庭和谐的确切证据。

孙悟空出身于花果山，就能证明与太上老君一定有联系吗？

孙悟空手中金箍棒是太上老君炼制，就能证明与太上老君一定有联系吗？

孙悟空偷吃了太上老君仙丹，修成金刚不坏之体，你能证明太上老君是故意放水吗？

孙悟空被投入炼丹炉七七四十九天不死，你能证明太上老君是故意放水吗？

这些都是猜测，没有人证物证。

既然太上老君选择暗斗而不是明争，那玉皇大帝以及玉皇大帝背后的元始天尊、灵宝天尊也就不必撕破脸。撕破脸对谁都不好。

不能撕破脸，却可以想法打对方的脸。

玉皇大帝招来如来，轻松擒拿孙悟空，那就是打了太上老君一派神仙一记响亮的耳光。为如来摆下庆功宴会，更是在太上老君脸上狠狠踹上一脚。

庆功宴会上，玉皇大帝端坐高台，邀请如来越过三清、四帝，坐了首席。他用席位的安排，表明自己的态度。

群仙说："感如来无量法力，收伏妖猴。蒙大天尊设宴呼唤，我等皆来陈谢。请如来将此会立一名，如何？"如来领众神之托曰："今欲立名，可作个安天大会。"各仙老异口同声，俱道："好个'安天大会'！好个'安天大会'！"

玉皇大帝是希望群仙感谢如来，如来也表态自己是为了安天。取名安天，既是强调自己的功能，也可以表明自己的立场：咱是站在玉皇大帝一边的。

之后，王母娘娘亲来感谢，她强调："前被妖猴搅乱蟠桃嘉会，请众仙众佛，俱未成功。"她是天庭的女主人，说话自然要稳重一些，委婉一些，但也点明，众仙都放水，真让人讨厌。

寿星说话直接多了："始闻那妖猴被太上老君引至兜率宫锻炼，以为必致平安，不期他又反出。"言语中，对太上老君充满嘲讽。你不是道祖吗，竟然连个小小的妖猴都降伏不了！

下一个是赤脚大仙，他说："深感法力，降伏妖猴。无物可以表敬，特具交梨二颗、火枣数枚奉献。"从话中看，赤脚大仙偏向太上老君，至少是中立的。他根本不提孙悟空此番为何能作乱的原因，只是感谢如来。

安天大会上，为何这三个仙人会跳出来呢？因为这三个人都是玉皇大帝的人马，且都具有一定的代表性。

王母娘娘是玉皇大帝妻子，自然是站在丈夫一边的。

寿星乃是五方五老之下的南斗六司代表，又被称为南极老人，在仙界地位尊贵。寿星也住在人间，乃海外十洲三岛之主。寿星出面，既可以代表天庭仙官，又可以代表海外仙岛，向如来致敬，向玉皇大帝表明立场。

赤脚大仙是天仙，他没有在天庭担任具体职务，属于散仙。不过，这赤脚大仙法力高深，名气颇大，可以代表仙界的散仙势力。在他们看来，不掺和天庭党争，两不得罪，才是最明智的选择。

玉皇大帝对此当然是不满意的。当然，赤脚大仙没有支持太上老君，也算是没有超越玉皇大帝的底线。

而在捉拿孙悟空时，有严重放水嫌疑的九曜，想必如坐针毡，一脸羞红。而太上老君呢，也必然是铁青着脸。

玉皇大帝就是要通过抬高如来，来震慑天庭群仙，来警示太上老君一派：不要以为你们可以翻天，我手上的人马还是很多的。

如来是安天大会的最大受益者。他虽然在人间雄踞一方，可是在天界的影响力并不大。这个安天大会，正可以让如来、让佛派扬名立万，威名远播。如来回到灵山，掩饰不住内心的骄傲，他告诉诸位菩萨、罗汉："那厮乃花果山产的一妖猴，罪恶滔天，不可名状，概天神将，俱莫能降伏；虽二郎捉获，太上老君用火锻炼，亦莫能伤损。我去时，正在雷将中间，扬威耀武，卖弄精神，被我止住兵戈，问他来历。他言有神通，会变化，又驾筋斗云，一去十万八千里。我与他打了个赌赛，他出不得我手，却将他一把抓住，指化五行山，封压他在那里。玉皇大帝大开金阙瑶宫，请我坐了首席，立安天大会谢我，却方辞驾而回。”

在如来口中，孙悟空罪恶极大，神通极大，无仙可以降伏，连道祖太上老君也不成。可是他呢？一出手，亲手降伏。细品这句“玉皇大帝大开金阙瑶宫，请我坐了首席，立安天大会谢我”，真是豪情满怀。

大约就是在这样的情况下，如来开始盘算佛派东扩事宜。

第三十九节　策划取经

如来为何要策划取经行动？这似乎是个不成问题的问题。

为何这么说？因为原因在书中写得明明白白，大家也知道得清清楚楚。

一方面，是唐朝太宗皇帝有需求。

据说，唐太宗因为被泾河龙王冤魂所困，日夜不宁。后来，唐太宗夜游地府，见到那十八路反王、七十二路烟尘的冤魂死后不得超度，心中压力很大。唐太宗请高僧做法会，超度亡魂。不料，高僧说，东土佛家只会小乘佛法，能度己而不能度人。要想度人，必须前往西天大雷音寺，我佛如来处，求取大乘佛法《三藏真经》。

于是，唐太宗派遣大法师陈玄奘，代表唐朝前往西天，求取真经。

另一方面，是如来想要传经。

身为佛派领袖，自然想要把自家的佛法弘扬光大。如来说：“我有《法》一藏，谈天；《论》一藏，说地；《经》一藏，度鬼。三藏共计三十五部，该一万五千一百四十四卷，乃是修真之经，正善之门。”身为佛祖，手中掌握如此神奇法门，想与普天民众共享，这不正是我佛如来的慈悲之处吗？

简单来说，一个是手中有好货，想要推销出去；一个是有需求，上门来求购。双方一呼一应，实在正常不过。

只是，事情的真相仅仅如此吗？

我曾经提到，亿万年前，太上老君“化胡为佛”创立了佛派。当时佛派的主事人是谁呢？是燃灯上古佛。可是，不知道多少万年后，新兴力量崛起，燃灯退居二线。这个新兴力量的领袖，就是如来。

在《西游记》中说，燃灯古佛是过去佛，即代表了过去的佛派势力，我们称为元老派。如来是现在佛，即现今主事的势力。弥勒是未来佛，即佛派未来的接班人。弥勒这一派，可以称为未来派。

如来在当时的佛派中能够说一不二、大权独揽吗？

不能。

我们看《西游记》结尾，唐僧师徒取经圆满成功，修成正果，有一个佛派高层的名单，里面列举了所有佛与菩萨的名字。

达到佛的级别，可以理解为，进入了佛派的长老会应该有了投票权、参政权。在这个长老会中，第一名是燃灯上古佛，第二名是药师光王佛，第三名才是释迦牟尼佛（即如来佛），第八名才是弥勒尊佛。

我们不清楚，在四十八位佛中，有多少是燃灯的元老派，有多少是如来的主事派，又有多少是弥勒的未来派。不过，我们纵观全书，可以发现一个奇怪的现象：为取经大业奔走的，基本上是菩萨级别的人物。比如具体负责人观音，比如文殊菩萨、普贤菩萨。而佛级高手，基本没出手。

当然，有一位大名鼎鼎的佛是掺和了取经行动——弥勒佛。注意，是掺和，不是参与。他不是来帮忙，而是来拆台的。

弥勒佛的童子黄眉在下界搞了一个小雷音寺，想要与孙悟空进行一个赌赛。他输了，放孙悟空等人西行；他赢了，就把孙悟空打杀，他自己去取经。孙悟空请了无数神仙，结果都被黄眉老怪的一个乾坤袋给装走了。孙悟空哭哭啼啼，毫无办法。最终，还是弥勒佛出面，收走了黄眉。

弥勒佛是在帮助唐僧师徒取经吗？不是，他是在设置障碍，为难取经团队。

为何他要这么做呢？

因为只要唐僧师徒顺利完成取经任务，就可以得到正果。这个正果可非同一般，我们看看最后，竟然有两个佛级（唐僧、孙悟空），一个菩萨级（猪八戒），两个罗汉级（沙僧、白龙马）。这些人如果算派系，算是谁的？当然算是如来的。

弥勒佛是佛派的未来佛。在当初如来能崛起，取代燃灯古佛而主事，弥勒肯定是如来重要的盟友。弥勒在佛派中拥有举足轻重的地位，可是，在新提拔的重要高层名单中，竟然没有一个他的人马。

弥勒自然不高兴。

弥勒不高兴，如来高兴啊！他策划取经行动，真正的目的就一个：扩充自己的势力。

这个扩充，有对外的。将大乘佛法传向东土，本身就是佛派势力的东扩。

通过一路降妖伏魔，唐僧师徒将神通广大、远胜道门的佛法传播开去。比如，车迟国斗法，唐僧师徒杀死虎、鹿、羊三妖，推翻三清圣像，就沉重打击了当地道派力量。

此消彼长之下，道派在人界的影响必然大大削弱。

这个扩充，更有对内的。通过取经这个光明正大、于整体佛派都有意义的事情，进一步扩充自己的人马，进而压制燃灯等元老派、弥勒等少壮派。

元老派代表燃灯，一直是个神龙见首不见尾的人物。面对取经可得正果这样的大事，他出手了吗？他确实出手了，只是做得很隐秘。这个我们以后再说。

除了燃灯与弥勒，如来还有一个想要打压的人，这个人是观音。

读者或许会奇怪了，观音不是如来最得力的部下、最信任的心腹吗？他为何要打击观音呢？

大家不要为西游世界之外的如来、观音关系所拘束。在西游世界中，观音除了是佛派菩萨第一人、如来的得力助手外，还有一个重要身份——与如来并为五方五老之一。

在佛派中，观音是如来的下属，可在仙界中，观音与如来同级。明白了吧？

这里明显就有一个矛盾处。

仙界的排名，是按照实力的。观音具有和如来一样的天尊级别实力，可在佛派中，连个佛也不是。有人会说，那是因为观音和地藏王菩萨一样，都发愿若不解救完苍生，誓不成佛。

我认为，既然谈西游，就不要以其他因果解释西游。《西游记》不是宗教故事，而是世俗故事。

观音的实力与其在佛派的地位明显不相符，最合理的解释就是，如来对观音刻意打压。

如来除了想方设法不给观音晋级外，取经行动也是在对观音下手。

如来为何选择向南赡部洲传经？

据如来说，是因为东胜神洲人民敬天礼地、人人心爽气平，不需要佛法救拔；北俱芦洲百姓生活苦寒却性情淳朴，也不需要佛法超脱；西牛贺洲是佛派后院，自然民风最好，不贪不杀，人人长寿，佛法已经深入人心，不需要多搞宣传；唯独那南赡部洲，人民贪图淫乐，好杀爱抢，道德素质最为低下。传经南赡部洲，乃是劝人为善、解救世人的大好事。

这仅仅是如来的托词。

我们回顾下人界的五方五老：西方是佛老，即如来的地盘；东方是崇恩圣君的地盘，北方是北极玄灵的地盘，中央是黄角大仙的地盘，而南方正是观音的地盘。

在《西游记》中，观音在南赡部洲可是有很多信徒的。有一个著名的贪恋袈裟的老和尚，那就是观音禅寺的主持。她的势力虽然还不足以遍布整个南赡部洲，但正在茁壮成长中。假以时日，观音必定可以牢牢掌控南赡部洲。

可是，如来不会给她机会。否则，观音不就成为另一个如来，或者另一个弥勒了？

要想遏制尾大不掉，最好的办法，就是将萌芽扼杀。

如来要向南赡部洲传经，不但能和道派抢地盘，又可与观音抢地盘。观音自然不乐意。她虽然心中不乐意，却主动承担起寻找取经人、护卫取经行动的责任。

观音难道傻吗？她不但不傻，反倒聪明得紧。

第四十节　沙僧摔杯

观音奉如来法旨前往东土寻访取经人，第一个遇上的，便是沙僧。

观音经过流沙河，正在慨叹流沙河弱水无边，担心取经人无法得过，一个妖怪忽然从水里跳出来，想要捉观音。弟子木叉急忙上前，与妖怪战在一处。两人打了几个回合，妖怪觉得木叉神通不俗，必有来历，于是询问。得知是菩萨经过，那妖怪急忙上前见礼。

这个想吃观音的妖怪，就是沙僧。

初见观音，沙僧是这么介绍自己来历的："菩萨，恕我之罪，待我诉告。我不是妖邪，我是灵霄殿下侍銮舆的卷帘大将。只因在蟠桃会上，失手打碎了琉璃盏，玉皇大帝把我打了八百，贬下界来，变得这般模样。又教七日一次，将飞剑来穿我胸胁百余下方回，故此这般苦恼。"

我们依据沙僧陈述，把沙僧被贬事件的前因后果理一理。

被贬前职业：卷帘大将。

被贬原因：打碎琉璃盏。

受到的惩罚：先被打了八百棍，然后每七天一次飞剑穿胸一百多下。

孙悟空在五六百年前大闹天宫，搅乱蟠桃会。之后三百六十年，天宫又一次举办蟠桃会。正是在那次蟠桃会上，沙僧被贬。算算到如今，已经两百多年。若按照七天一次算，沙僧这两百多年受了多少苦？沙僧说，正因为对惩罚如此不堪忍受，他才变成了青不青、黑不黑的一张晦气脸。

沙僧的话可信吗？半点不可信。最直接的原因，就是沙僧获罪的原因与得到的惩罚不相等。

虽然在原著中对琉璃盏没有更多的介绍，但是既然在蟠桃会上被拿出来使用，再珍贵也就是一餐具。

最关键的原因是，沙僧深得玉皇大帝信任，玉皇大帝绝对不可能因为沙僧犯下这点过错，就如此严惩。

玉皇大帝究竟是如何信任沙僧的呢？沙僧面对观音时，除了介绍自己是卷帘大将外，没有多说一个字。可是，在与猪八戒交手时，他却对自己的往事进行了这样一番回顾。他说："南天门里我为尊，灵霄殿前吾称上。腰间悬挂虎头牌，手中执定降妖杖。往来护驾我当先，出入随朝予在上。"

从此可知，这个卷帘大将并非负责掀帘子的小官，而是护卫玉皇大帝团队的最高长官，大约就是禁军大统领。

护卫南天门的，是四大天王，相当于九门提督，负责看守天庭门户。可是，四大天王比卷帘大将差太多，在整个天庭的保卫系统中，卷帘大将是头一号。在灵霄殿上，人家沙僧是站在所有文武仙人的最前列。

猪八戒曾经嘲笑沙僧的降妖杖是擀面杖，沙僧大怒，介绍自己兵器的来历："宝杖原来名誉大，本是月里梭罗派。吴刚伐下一枝来，鲁班制造工夫盖。里边一条金趁心，外边万道珠丝玠。名称宝杖善降妖，永镇灵霄能伏怪。只因官拜大将军，玉皇赐我随身带。或长或短任吾心，要细要粗凭意态。"

从沙僧的叙述中，我们知道，沙僧的兵器来自月宫，主干是那个存活了亿万年的梭罗仙木。大家不要小瞧了这梭罗仙木，那也是从开天辟地之初，就已经存在的万年灵木。由吴刚砍下一截，交给鲁班打造。这个鲁班是仙界鼎鼎大名的制器大师，名声仅次于太上老君，曾经化凡下界，名字也叫作鲁班。这件兵器制造完成后，就成为灵霄殿的镇殿之宝。因沙僧晋封卷帘大将军，玉皇大帝才将降妖杖下赐。且这降妖杖和金箍棒一样，有着大小如意的神通，可见，也是一件通灵法器。

从以上两段叙述可以知道，玉皇大帝对沙僧是委以重任，赐以重宝，足见对其十分信任。

历代帝王最信任的人多是谁呢？不是兄弟姐妹，不是后宫妃嫔，不是朝中大臣，而是身边的禁军统领、侍卫长等。若不是对其十分信任，又怎会把性命安危相托？

于是，矛盾就出现了。玉皇大帝既然如此信任沙僧，又怎么会因为打碎一个餐具，而将其严惩，贬斥下界呢？

原因只有一个，玉皇大帝早就得到如来策划取经行动的消息。他从心底并不信任如来。玉皇大帝抬高如来，不过是想挑起太上老君一派和如来一派的斗争，借力打力保持均衡。他极不愿意太上老君势力嚣张跋扈，更不会允许如来势力悄悄做大。

只是，玉皇大帝在整个天庭高层面前，已把如来树立为安稳天界的模范人物。此刻，距离上次表彰大会不过一年多（按照天界的算法，人间三百六十年，才是天庭的一年），若就公开查处如来，阻碍取经计划，难免会让三界仙人以为玉皇大帝凉薄，过河拆桥。

于是，玉皇大帝找了一个机会把沙僧贬斥下界，在流沙河等待取经人。我们可以看到书中沙僧说，他已经吃了九个取经人。但吃取经人仅仅是下策，那样只能治标不能治本。混入取经队伍，才是上策，可以随时观察取经团队的行动，及时了解佛派高层的动向。

总之，沙僧当是玉皇大帝派下的奸细。这一点在以后很多章节中还可以找到证据。比如，妖怪来袭时，沙僧经常说的是什么？他总是说：“我留下来保护师父。”与妖怪打斗时，基本上都是孙悟空主打，猪八戒帮忙，而沙僧总是躲在一边冷眼旁观。等到妖怪绕弯，冲过来抢唐僧的时候，十有八九沙僧是守不住或者说不守住唐僧，因为沙僧可以和猪八戒打个平手，猪八戒又可以和孙悟空打个平手，沙僧的真实实力是很强大的。师父被妖怪抢走了，沙僧总是让孙悟空和猪八戒去追，他总是说“我留下来看行李”，但就是不去打妖怪。

这么明显的不作为，不是奸细是什么？

沙僧是奸细，那么猪八戒呢，他清白吗？

第四十一节　八戒戏嫦娥

大家都知道，猪八戒被贬，是因为调戏嫦娥。

不过，猪八戒调戏嫦娥的真相，很多人并不知道。

嫦娥是谁？多数人都被民间故事误导，以为月宫里只是孤孤单单住着嫦娥一个人，外面还有个砍树的吴刚，顶多加上一个小玉兔。其实，原著里不是这样的。

原著中，月宫之主不是嫦娥，而是九曜之一的太阴星君。第九十五回孙悟空准备一棒将玉兔打死时，忽有人喊住手，孙悟空回头看，见是太阴星君带着姮娥仙子。这个姮娥，就是嫦娥。

孙悟空急忙上前行礼，请太阴星君证明天竺国公主是玉兔变的。孙悟空是如此向大家介绍的：“天竺陛下，请出你那皇后嫔妃看者。这宝幢下乃月宫太阴星君，两边的仙妹是月里嫦娥。这个玉兔儿却是你家的假公主，今现真相也。”

看到了吧，所谓嫦娥，只是太阴星君身边的侍女。而猪八戒喜欢的那个嫦娥，则是月宫诸多侍女之一。

猪八戒是在怎样的情况下调戏嫦娥的呢？

面对观音，猪八戒解释得很含混，只是说：“我本是天河里天蓬元帅。只因带酒戏弄嫦娥，玉皇大帝把我打了二千锤，贬下尘凡。”嫦娥虽然只是太阴星君身边一个侍女，但也是有仙界编制的，是正式的仙民。猪八戒无端调戏民女，犯了天条，于是玉皇大帝将其贬下凡间。

事情真的这么简单吗？

后来，孙悟空与猪八戒大战，猪八戒交代自己的出身。他这么叙述被贬经过：

“只因王母会蟠桃，开宴瑶池邀众客。那时酒醉意昏沉，东倒西歪乱撒泼。逞雄撞入广寒宫，风流仙子来相接。见他容貌挟人魂，旧日凡心难得灭。全无上下失尊卑，扯住嫦娥要陪歇。再三再四不依从，东躲西藏心不悦。色胆如天叫似雷，险些震倒天关阙。纠察灵官奏玉皇，那日吾当命运拙。广寒围困不通风，进退无门难得脱。却被诸神拿住我，酒在心头还不怯。押赴灵霄见玉皇，依律问成该处决。多亏太白李金星，出班俯囟亲言说。改刑重责二千锤，肉绽皮开骨将折。”

我们简单理一理。

猪八戒：天蓬元帅，掌管八万水军，在天界地位高贵，堪比九曜。

嫦娥：九曜之一太阴星君麾下侍女。

猪八戒犯罪起因：孙悟空大闹天宫之后的一次蟠桃会上（沙僧也在），猪八戒多喝了几杯，乱闯到了广寒宫。广寒宫一个侍女出来应门，猪八戒见其美貌，就动了色心，抱住此女，提出陪睡。侍女不从，东躲西藏。见侍女不从，猪八戒色胆包天，竟然大声嚷嚷，自己把纠察灵官给招来了。结果，天兵到后，把猪八戒当场拿下，抓了个现行。

猪八戒罪名：强奸未遂。

结局：按照天庭法规，强奸是死罪，但因有太白金星（此仙也是九曜之一）出面说情，改为打两千板，削去神仙编制，打入凡间。

大家看明白了吗？猪八戒的这场风流案十分蹊跷，有三不可解。

若真是想要干那坏事，本应当找个僻静所在。可是，猪八戒没有这么做，而是直接在广寒宫门口就要干。这是一不可解。

侍女不从，仅仅是东躲西藏。猪八戒本可悄然离去，自然无人发现。可猪八戒自己大声嚷嚷，把纠察灵官引来。这是二不可解。

东窗事发后，玉皇大帝竟然要将猪八戒处死。这是三不可解。

天庭自有法度。官员调戏仙女，一般会被怎样处罚？

二十八宿之一的奎木狼和披香殿的仙女有了暧昧，双双私奔下凡，生儿育女，十三年不归。奎木狼擅离职守、私下凡间、与仙女有染，犯下三项大罪。结果，玉皇大帝只是惩罚奎木狼给太上老君看炉七天。

可猪八戒呢？人家不过是强奸未遂，就要将人家砍头，玉皇大帝显然在公报私仇。

那么，猪八戒被贬的真相是什么呢？

只因猪八戒是太上老君的弟子，且是太上老君一派的骨干成员。玉皇大帝不敢动太上老君，但一直都在想方设法折断太上老君的臂膀。如今八戒公然行那苟且之事，虽然未成，但影响恶劣。玉皇大帝借机削去八戒仙籍，夺回水军大权，太上老君也无可奈何。

有什么证据证明，猪八戒是太上老君的人马呢？

猪八戒和孙悟空大战的时候，曾经介绍自己成仙的经历和兵器的来历。有三处和太上老君关系密切。

第一，猪八戒天资愚钝，他能够成仙，最主要的原因是师父赐给他一颗九转大还丹。因有这九转金丹相助，猪八戒才能够脱去凡胎，成就仙身。

在原著中，提到拥有九转金丹的有两个人。孙悟空在到海外求取仙方，救活人参果树的时候，来到东华帝君处。东华帝君说他有一粒九转太乙还丹，不过，那丹药只能治疗生灵（有九窍者为生灵），不能治疗草木。后来，孙悟空为了救淹死的乌鸡国王，到天上求太上老君给了一粒九转还魂丹，顺利救活了乌鸡国王。

那么，传给猪八戒九转金丹的，到底是东华帝君还是太上老君呢？只能是太上老君。

东华帝君并非四帝级别的帝君，也非五方五老，仅仅是海外十洲三岛中某一个岛的岛主。见到孙悟空前来，那帝君慌忙回礼道：“大圣，失迎。请荒居奉茶。”遂与行者搀手而入。

这东华帝君的神通，必然远远不如孙悟空，因此见孙悟空到家门口时，才会慌忙回礼。猪八戒在天界乃水军统帅，神通与孙悟空不相上下，丝毫不惧孙悟空。由此可以推知，这东华帝君必然不是猪八戒的师父。

第二，猪八戒会天罡三十六变。

在原著中，许多神仙都会变化之术，比如二郎神、哪吒。可是，会天罡变的只有猪八戒一人，会地煞变的仅孙悟空、牛魔王两人。我在之前已经论证过了，菩提祖师就是太上老君。明白了吧，这猪八戒的天罡变化，也是太上老君传的。

第三，猪八戒的钉钯是太上老君精心打造的。

原著中，猪八戒这么介绍九齿钉钯的来历："此是锻炼神冰铁，磨琢成工光皎洁。太上老君自己动钤锤，荧惑亲身添炭屑。五方五帝用心机，六丁六甲费周折。造成九齿玉垂牙，铸就双环金坠叶。身妆六曜排五星，体按四时依八节。短长上下定乾坤，左右阴阳分日月。六爻神将按天条，八卦星辰依斗列。名为上宝沁金钯，进与玉皇镇丹阙。因我修成大罗仙，为吾养就长生客。敕封元帅号天蓬，钦赐钉钯为御节。"

这段诗句中，告诉我们以下几个信息。

其一，这九齿钉钯来历极大，竟然是五方五老以及玉皇大帝、四帝共同参与构图，火德星君喷火，六丁六甲打下手，太上老君亲自掌锤打造的超级神兵。

其二，这九齿钉钯比降妖杖、金箍棒要强。它的主要材质是神冰铁，上面还有各种符文，符合各种天道法则。沙僧的降妖杖是灵霄殿镇殿之宝，而这九齿钉钯是"镇丹阙"。"丹阙"就是皇宫，就是天庭。原来这九齿钉钯竟然是天庭第一神兵。

其三，猪八戒成就大道，被任命为天蓬元帅，玉皇大帝就把这九齿钉钯下赐。或许有人会说，是玉皇大帝赏赐钉钯，八戒也可以说是玉皇大帝的人啊。关键一点在哪里呢？这九齿钉钯是太上老君的。太上老君对猪八戒又恩重如山，他只不过是通过玉皇大帝转手，公开将九齿钉钯赐给爱徒罢了。

猪八戒没有公开宣布他和太上老君的关系。不过，他不说，不代表玉皇大帝不知道。

于是，猪八戒被贬的真相就好理解了。猪八戒是太上老君的弟子，他是奉命找个理由下凡，混入取经队伍。于是，猪八戒装醉调戏嫦娥，故意招来纠察灵官。玉皇大帝虽然想把猪八戒一次性弄死，但一来猪八戒是强奸未遂，二来有太白金星求情，因此未如愿。太白金星和太阴星君一样，都是九曜，而九曜和孙悟空关系极好。为什么呢？因为他们就是太上老君的人马。

受到太上老君一派阻碍，玉皇大帝也没有法子，只好把猪八戒狠狠揍了两千板子，贬下凡间了事。

沙僧、猪八戒身上疑点重重，观音知不知道呢？

第四十二节　观音交易

在不少读者心中，观音选择沙僧、猪八戒、孙悟空三人加入取经队伍，是救人于苦海，是大慈大悲之举。这是大家受到民间观音的影响了。其实，在《西游记》中，观音与沙僧、猪八戒、孙悟空之间，是一场交易。

在观音前往东土时，如来曾经交代，前往东土，只可半云半雾。沿途若是遇上法力强大的妖魔，自可以用如来交给的金、紧、禁三个箍儿收服。观音没有遵照如来指点，而是以交易的方式将三人收编。

我们看观音收沙僧的原文：

“菩萨道：‘你在天有罪，既贬下来，今又这等伤生，正所谓罪上加罪。我今领了佛旨，上东土寻取经人。你何不入我门来，皈依善果，跟那取经人做个徒弟，上西天拜佛求经？我教飞剑不来穿你。那时节功成免罪，复你本职，心下如何？’”

观音深通人心，谈判技巧挺高明。

第一招：恐吓。

沙僧原本就犯下大罪，被贬下凡，他自己说每两三日就吃一个人。若如此，他被贬两百年，竟已吃了数万人。这是何等杀孽！若继续下去，他必然会被天庭追捕，少不了抽魂炼魄，万世不得超生。

第二招：利诱。

沙僧的罪过虽然如此大，但若是加入佛派，前往取经，不但可以免除眼前飞剑穿胸的痛苦，而且可以免去罪过，恢复仙籍。

太史公司马迁说：“天下熙熙，皆为利来；天下攘攘，皆为利往。”绝大多数人是趋利的，沙僧也不能免俗。

沙僧立刻说：“我愿皈正果。”

不过，沙僧还有一个担心。流沙河凶险无比，寻常人根本难以越过。沙僧说：“但恐取经人不得到此，却不是反误了我的前程也?”观音虽然给沙僧开出了优厚的条件，但若是不能达成，一切等于虚幻。

看来，沙僧也是个谈判的高手。

观音连忙打包票，说取经人一定可以到。沙僧才说：“既然如此，愿领教诲。”

观音收八戒，收悟空，大体走的都是这个套路。

猪八戒说自己食量极大，虽然经常吃人，但也仅是半饥半饱。观音说：“汝若肯归依正果，自有养身之处。世有五谷，尽能济饥，为何吃人度日?”观音投其所好，应其所需，答应猪八戒只要参加取经，就可以管饱。猪八戒提出，自己获罪于天。观音答应，只要参加取经，就可以将功折罪，脱离灾厄。

猪八戒听了，马上行礼，答应皈依佛门。

观音与木叉来到五行山。孙悟空高叫：“万望菩萨方便一二，救我老孙一救!”观音恐吓说，你罪孽深重，品行不良，即便救你出来，也会再生祸端。孙悟空苦苦哀求。观音才说：“你既有此心，待我到了东土大唐国寻一个取经的人来，教他救你。你可跟他做个徒弟，秉教伽持，入我佛门，再修正果，如何?”

观音没有救孙悟空，而是把这个天大的人情，送给了唐僧。她答应，孙悟空只要皈依佛门，就可以“再修正果”——重新获得神仙编制。孙悟空一听，连连说：“愿去，愿去!”

以观音五方五老的神通，降伏沙僧三人当不在话下。可观音没有用强力征服，为什么？

一来，前往西天取经，路途漫漫，妖魔横行。唯有团队所有成员精诚合作，才能达成目标。若非心甘情愿，难免有人中途离开。许以大利，则可让大家都有个奔头。观音之举，堪称明智。

二来，如来所传的三个箍儿，都是惊世骇俗的法宝。仙人使用的法宝，一般都要驱动灵力。达到相应的等级，才能使用同等阶的法宝。可这三个箍儿不同，一旦套上，即便神通广大如孙悟空，也要听一介凡人驱使。这种法宝，可以说是逆天级别的存在。

于是，观音只是把三个箍儿中效力中等的紧箍，拿来送给唐僧，套在了孙悟空头上。至于其他两个，观音挪作私用，套到了熊罴怪和红孩儿头上。这两个大妖怪最后一个成了观音的门卫，一个成了观音的随从，都没有参加取经。

在东去的路上，观音还救了西海龙王三太子。小白龙因为纵火焚烧龙宫大殿，被西海龙王告上天庭，打了三百板子，过几天就要被斩。观音提出，小白龙若愿意变成白马，驮取经人西去，就出手相助。小白龙自然答应。

救小白龙的时候，有一个细节很有意思。观音前往天庭，恳请玉皇大帝赦免小白龙，让其将功折罪，完成取经任务。玉皇大帝下诏赦免。

观音如此做法，才是合乎法律、合乎常理的。毕竟，小白龙乃是犯下大罪的仙人。要想免罪，可不是观音说了就算，要得到玉皇大帝的批准才行。

可是，在收服沙僧和猪八戒的时候，观音有没有上天庭求玉皇大帝呢？

没有。观音直接答应，只要你归顺，一切罪过全免。

观音可没这么大的权力。观音乃是玉皇大帝的下属，虽然地位尊崇，但也不能无视天庭法度。那猪八戒是刑满释放，加入佛派不成问题。沙僧却正在服刑中，观音怎能直接把沙僧带走，而不经过玉皇大帝呢？

原因只有一个，观音知道沙僧是玉皇大帝私下派来，混入取经队伍的。

一般来说，违犯天条者，必然是魂魄下凡，转世投胎。可沙僧是真身下界。若沙僧真犯了天条，周围必然有施刑的仙人（小白龙身边就有）。何况，卷帘大将军的职务意味着什么，观音也一清二楚。

既然明知沙僧有问题，八戒也不干净，孙悟空是个爱折腾不听话的主，观音为何还要收服这三人呢？

第四十三节　观音反击

观音神通广大，法力无边，在仙界乃是和如来等阶的五方五老。可是，在佛派中，观音的地位并不高。她在佛派排名第四十七，等到唐僧、孙悟空也成佛后，观音的排名则再次下降，变成了第四十九。

至于观音发愿不成佛一说，我翻遍西游原著，也找不到这一说法。于是，我只能理解成，是如来佛祖刻意打压观音，硬是不让她成佛。

在此前的章节中讲过，如来策划取经，就是削弱观音势力的重要举措。可观音不但没有坐以待毙，反而主动出击。

在观音第一次出场时，太上老君曾经对观音说过一段悄悄话："此物唤作金刚琢，当年化胡为佛，甚是亏它。"太上老君明面上是介绍金刚琢身份，实际上是告诉观音，我才是佛派真正的创派祖师。

在三界之中，本来只有燃灯知道这个惊天秘密。太上老君为何要告诉观音？

无数亿万年前，太上老君"化胡为佛"创立佛派，目的是培植一个新生势力，以对抗玉皇大帝为代表的天庭。本来，一切都按照计划发展。可是，不知道多少万年前，惊变陡生，以如来为首的新生力量联合弥勒势力，掌控了佛派主事权。最终，燃灯实力大损，只能退居二线。

辛辛苦苦亿万年打造的佛派，一朝被他人夺走，太上老君自然大怒。可是，在与元始天尊、灵宝天尊争夺三界控制权的时候，太上老君也身受重创。以他的能力，当然有机会击败如来——太上老君是三清，如来不过是五老，实力相差悬殊。但是，太上老君若亲自出手，必然引起元始天尊、灵宝天尊注意。一旦被他们得知真相，佛派势力就可能被彻底打压。

太上老君还是希望通过相对和平的方式重夺佛派的遥控权。

为此，太上老君几次和燃灯佛祖密谈，几度下凡招收资质绝佳者为徒。而争取观音的加盟，也是太上老君夺权的重要计划。

观音无法单独对抗如来，可若有太上老君的帮助则大不相同。有观音的加盟，燃灯在佛派内部的力量将大大加强。若能合理利用弥勒，燃灯重新掌控佛派也未可知。

太上老君化身菩提，训练出了孙悟空。但他只是交给孙悟空逃命的手段。太上老君明白，以孙悟空那种自尊自大的脾气，是绝对无法安分度日的。果然，孙悟空因没有兵器，就去龙宫抢。冥王来拘魂，孙悟空就大闹冥界。招安上天，有了神仙编制，本应当安分了，结果被人家一句调唆，孙悟空就反下天庭。此后，自然是大闹天宫。在太上老君的暗示下，诸位神仙齐齐放水，最终，玉皇大帝不得不请出相对独立的佛派高人西天如来。

如来在安天大会上扬名立万，观音自然适时提出取经东扩计划。虽然，如来选定的东扩方向是南赡部洲，让观音有些恼火，但只要把执行权抓在手中，观音就有信心化被动为主动。

回到收复沙僧、八戒的故事中。观音自然是知道沙僧、八戒的身份可疑，但她并不计较。为什么呢？

观音从西天一路东来，自然发现了不少实力强大的魔头。比如金翅大鹏雕此刻就已经在狮驼国建立妖国，牛魔王、红孩儿父子都称霸一方。为何观音偏偏选择了沙僧、八戒、孙悟空呢？

因为他们三人是观音在可控的范围内实力最强的妖魔。不选最强，只选最好。观音很明智。

从问话中可以知道，沙僧和八戒都是贪利之人，于是观音投其所好，告诉两人只要参加取经，就可以成就正果。即便沙僧、八戒只是表面上贪利，其实另有所图，在以后漫长的取经时间中，观音也有足够的机会慢慢感化、收服二人。

若是直接推开二人，则必然使二人背后的大人物不满。敌人，还是留在眼皮底下最安全。

在取经团队中，观音最关心的是孙悟空。她不但一口答应救孙悟空，且送给孙悟空三根保命毫毛，还答应孙悟空叫天天应，叫地地灵。天地当然是叫不应的，但孙悟空一叫，观音必来相助。

正是因为这样，历经无数次波折后，孙悟空、猪八戒、沙僧、小白龙，甚至包括唐僧，对观音心悦诚服。取经团队遇上跨不过去的坎，大家想到的，总是南海观音。而只要观音来了，必定万事无忧。

最后，取经五人组成就正果。表面上看，是如来的主事势力增加了五个高层名额，真相是什么呢？

孙悟空、猪八戒都是太上老君弟子，只要太上老君亮明师父的身份，两人必定归顺麾下。

唐僧十一世前是如来二弟子，但今生是谁的弟子呢？是乌巢禅师的弟子。而这乌巢禅师是谁呢？我先透露下，是燃灯。这一点我们下文会详述。

沙僧是玉皇大帝奸细不假，可既然已经在佛派成了金身罗汉，有了正果，何必再为玉皇大帝卖命呢？

小白龙就更不必说了，他是观音从死亡线上拉回来的，对观音自然感恩戴德，俯首听命。

看到了吗？这五人无一不是观音的人马。经过如来的取经东扩计划，观音的势力不是削弱了，而是大大增强了。

为了推进如来的取经行动，观音菩萨做了许多安排。其中之一，就是培养唐僧。唐僧之所以能成为一个合格的取经人，与其父陈光蕊早死有密切关系。

原著中，陈光蕊是被水贼刘洪杀死的。只是，真相远没有那么简单，陈光蕊真正的死因是什么呢？

第四十四节　光蕊之死

贞观年间，朝廷举办水陆法会。主持这场超大规模法事的，是一个叫作陈玄奘的和尚。宰相们的推荐词是这么说的："这个人自幼为僧，出娘胎，就持斋受戒。他外公见是当朝一路总管殷开山，他父亲陈光蕊，中状元，官拜文渊殿大学士。一心不爱荣华，只喜修持寂灭。查得他根源又好，德行又高。千经万典，无所不通；佛号仙音，无般不会。"

选拔水陆法会主讲法师，是不是会念几句佛经就可以？当然不是。唐太宗一见陈玄奘，立刻晋封他为"左僧纲、右僧纲、天下大阐都僧纲之职”。简单来说，这次选拔获胜者，不单单是法会主讲人，还要负责大唐僧界工作。

选拔的标准有三个，陈玄奘样样都第一。

第一个，出身要好。陈玄奘的父亲是陈光蕊，乃是大唐状元。外公更不得了，乃是开国元勋殷开山。论起家世显赫，估计在和尚中没人能和陈玄奘相比。

第二个，心性坚定。陈玄奘自幼为僧，远离世间尘俗，一心向佛，经得起富贵诱惑，经得起困难打磨。

第三个，博览群书。陈玄奘从出娘胎就持斋受戒，诵念经书。佛派虽然门派众多，可陈玄奘无论对哪门哪派的经卷，皆无一不通、无一不会。

陈玄奘本是富家公子，为何会成为这样一个“根源又好，德行又高”的和尚呢？

这一切，多亏了观音菩萨的努力。

那小唐僧的成长和观音有什么关系呢？

我们看上述三个条件，一个比一个难达成，可是陈玄奘都做到了，或者也可以说，因为有观音，陈玄奘被迫做到了。

对于凡人来说，无法选择自己的父亲，可是，陈玄奘不同。他本就是如来的二弟子金蝉子，因为在佛祖讲课时开小差，佛祖大怒，就开除了他。可毕竟师生一场，金蝉子也有悔过之心。于是，如来便托付观音，把金蝉子定为这次取经行动的主要对象。

母亲殷温娇生下陈玄奘时，做了一个奇怪的梦。梦中有一个声音说："满堂娇，听吾叮嘱。吾乃南极星君，奉观音菩萨法旨，特送此子与你。异日声名远大，非比等闲。刘贼若回，必害此子，汝可用心保护。汝夫已得龙王相救，日后夫妻相会，子母团圆，雪冤报仇有日也。谨记吾言。快醒，快醒！"

大家看清楚了吗，南极星君是奉观音菩萨之命，把金蝉子送给殷温娇为子的。

另外，这里还涉及刘洪以及唐僧"生父"陈光蕊的死亡之谜。

书上是这么叙述这段离奇故事的：海州书生陈光蕊进京科考高中状元。在夸官游街之日，陈光蕊被殷温娇小姐的绣球砸中，于是成了殷开山的乘龙快婿。成婚第二天，皇帝下令，陈光蕊前往江州上任。陈光蕊带着妻子和家仆上路。途经洪江河段，水贼刘洪贪图殷小姐美色，将家仆杀害，将陈光蕊打死后推下水去。殷小姐因有孕在身，屈从了水贼。而刘洪不但不潜逃，还带着殷温娇前往江州，冒认陈光蕊，出任江州刺史。三个月后，殷温娇产下一子，刘洪想要将其子杀害，殷温娇借口时间太晚阻止。第二天，殷温娇来到河边，恰好看到一块木板流过，就把孩子放在木板上让其顺流而走。这个孩子，就是后来的陈玄奘。

十八年后，陈玄奘得知身世，先找到母亲确认身份，然后远赴京城，与外公带了六万兵马来抓刘洪。刘洪被斩首。之后，洪江口龙王将陈光蕊还魂，一家人团聚。不久，殷小姐自尽，陈光蕊去做了和尚。

以上种种，在"八十一难"中占了四难：金蝉遭贬第一难，出胎几杀第二难，满月抛江第三难，寻亲报冤第四难。

第一难是如来主导，其他三难则与观音有干系。

从嘱托南极星君送子可以看出，观音一直关注着陈光蕊、殷温娇一家。可是当水贼刘洪活活将陈光蕊打死的时候，观音没有出手。当刘洪强迫殷温娇陪睡的时候，观音也没有出手。当刘洪要弄死刚出生的陈玄奘时，观音还是没有出手。一直到殷温娇主动把陈玄奘抛弃时，观音才出手了——那块忽然却及时漂浮过来的木板，必然就是观音所为。

想那泾河龙王改了下时辰少下了几点雨就被杀头，为何洪江一个小小龙王就敢向城隍庙（冥府地方机构）索要陈光蕊魂魄，并且一留就是十八年。十八年后龙王竟然还让陈光蕊复活了。小小龙王有何神通，竟敢做下这等逆天改命的事情？

洪江龙王告诉陈光蕊，是因为我当年变成小鱼被你放生，于是我要报恩。真相是这样吗？不是。

是观音暗中吩咐冥府，不许收陈光蕊魂魄，却又不放他还阳。她要以此促成第二难、第三难、第四难。非如此，不能够让陈玄奘一心向佛；非如此，不能让陈玄奘斩断尘缘；非如此，不能让陈玄奘成为大唐佛界第一人。

这一切，皆因为金蝉子取经、成佛乃是几百年前就已经定好的事情。不过，要想让陈玄奘代表大唐去西天取经，就必须得到大唐皇帝李世民的允准。可是，在当时的大唐，老百姓对于佛派尤其是大乘佛教并不认同，观音菩萨要如何做，才能让唐太宗派出使者前往西天求取真经呢？

第四十五节　龙王告状

唐太宗贞观十三年，在京都长安接连发生了几件不可思议之事。

先是有一个神机妙算的道士袁守诚摆摊算卦，他告诉渔夫，每天在哪里下网，必定可以抓到许多鱼虾。而这道士竟每卦皆灵。泾河龙王大怒，担心水族被人类抓捕干净，就变身一个秀才前去找袁守诚吵闹。袁守诚一语道破泾河龙王真身，还告诉龙王，明日何时何地，将要降雨多少。泾河龙王不信，可晚间竟然接到玉皇大帝诏令，让他明日在何时何地降雨多少——竟然与袁守诚的预测一般无二。泾河龙王在军师的调唆下，自作聪明，把降雨的时辰、数量都稍做改动。然后，龙王前往袁守诚摆摊处，得意扬扬地把人家摊子砸了。

袁守诚冷笑：你违背玉皇大帝诏令，私改时辰、点数，用不了几天，你就要上斩龙台。龙王大惊，急忙向唐太宗托梦求救。唐太宗答应了救他。大唐宰相魏征正是监斩官。唐太宗假意邀请魏征下棋，不让魏征出门。不料魏征打了一个瞌睡，在梦中将泾河龙王斩首了。一颗硕大的龙头，从京城长安的空中坠落。一时间，全城轰动。

孙悟空以天仙身份，不会未卜先知之术。如来有无边法力，孙悟空依然不信他有预测未来之能。为何一介凡人，竟然能够未卜先知？

袁守诚之流，顶多不过是略窥天道的人仙级别。若说是测算凡人的命运，牵涉面不广，或许有可能。但袁守诚测算的，可是玉皇大帝的心意。玉皇大帝是何等身份，他想在什么时辰下雨，想下雨多少，怎么可能被一个凡人道士算到？

这是第一不可解。

之后，泾河龙王怨气冲天，一状告到冥府。唐太宗皇宫也夜夜闹鬼。阎罗王派人拘押唐太宗，刚巧是魏征的熟人崔判官迎接。

崔判官说，他和魏征乃多年好友，子孙多蒙魏征照顾。如今因受魏征所托，他必定出手照顾太宗。唐太宗来到地府，十殿阎罗亲自出大殿迎接，十分客气。问及泾河龙王一事，唐太宗解释，自己已经尽力，谁能想到人曹官（魏征）竟然在梦中杀人。

此时，秦广王（十殿阎罗之一）说："自那龙未生之前，南斗星死簿上已注定该遭杀于人曹之手，我等早已知之。"

秦广王之解释乃第二不可解。

既然泾河龙王注定死在魏征手上，秦广王为何不告诉龙王，却以龙王告状为由，将唐太宗魂魄拘来？

之后秦广王让崔判官查询唐太宗还有多少阳寿，没事的话，就让唐太宗还阳。崔判官拿来天下万国国王生死簿查看，竟见上面写着：南赡部洲大唐太宗皇帝死于贞观一十三年。崔判官连忙拿笔添了两横，交给秦广王。

书中写道："十王从头看时，见太宗名下注定三十三年，阎王惊问：‘陛下登基多少年了？’太宗道：‘朕即位，今一十三年了。’阎王道：‘陛下宽心勿虑，还有二十年阳寿。此一来已是对案明白，请返本还阳。’太宗闻言，躬身称谢。”

阎王为何吃惊？因为他早就知道唐太宗该于贞观十三年死去，可生死簿被改成三十三年。若阎王眼神没毛病，肯定可以看到添上的两笔连墨汁都还没干。

为何泾河龙王下雨迟了几分钟，少了几滴雨，就被玉皇大帝下诏斩首，而崔判官擅自为唐太宗延寿二十年，却无人追究呢？

这是第三不可解。

十殿阎罗让崔判官送唐太宗出去。崔判官却把唐太宗带到十八层地狱，里面有无数隋末争霸失败而死的亡魂。无数人在高喊：李世民，还我命来，还我命来！把个唐太宗吓得战战兢兢。

崔判官把唐太宗送到六道轮回中的超生轨道中，嘱托唐太宗一定记得做一个水陆法会，以超度那些无主冤魂。如此，管教大唐江山永固，后代绵长。

崔判官为何不直接把唐太宗送至阳间，偏偏要绕道十八层地狱呢？按照崔判官的说法，冥界有去路，无来路，也就是一条单行道。可是，孙悟空闯入冥界，就是照原路打出冥界的。崔判官明显在撒谎。

崔判官为何要撒谎？这是第四不可解。

若我们结合第八回几句话来看，这四处不可解，都可迎刃而解。

书中写观音带着木叉来到长安，土地急忙来迎接。没几天，满长安的神祇都来拜见观音。有人会说，土地、城隍是道派的神，为何要拍观音的马屁，听观音的调遣？大家别忘了，观音除了菩萨这个佛派身份，她还是五方五老，管辖地带正是南赡部洲、南海一带。

观音吩咐众神：“汝等切不可走漏一毫消息，我奉佛旨，特来此处寻访取经人。借你庙宇，权住几日，待访着真僧即回。”

寻访取经人本是得到玉皇大帝首肯、如来批准的公开行动，观音为何不让众神泄露她的消息？观音语气十分严厉。若真有人泄露，她不介意出手灭杀。

这只因观音当下的所作所为实是见不得光的。

那袁守诚必然就是观音化身。以她的神通，驱赶鱼虾，让渔夫每天都能捕获，不过是小事一桩。所谓算出玉皇大帝旨意，也不过是玉皇大帝看在观音面子上，依计行事罢了。泾河龙王自大而急躁，自然落入彀中，被斩首也是他自寻死路。

所谓泾河龙王早就注定被魏征斩首，不过是秦广王畏惧观音，说的一句谎言。

崔判官早就得到观音指点，必须帮助唐太宗。崔判官擅自更改唐太宗寿命，秦广王等十殿阎罗虽看得明白，但也知道崔判官有观音撑腰，因此他们不敢妄动。

崔判官带唐太宗去十八层地狱，也是观音所吩咐。观音就是要吓吓唐太宗，以达到自己寻找取经人的目的。

在策划取经行动时，如来曾解释说：“我待要送上东土，叵耐那方众生愚蠢，毁谤真言，不识我法门之旨要，怠慢了瑜迦之正宗。怎么得一个有法力的，去东土寻一个善信，教他苦历千山，远经万水，到我处求取真经，永传东土，劝化众生，却乃是个山大的福缘，海深的善庆。”

求取真经，必须是东土大唐主动派人到西天。可大唐朝廷中，不少官员崇奉道派，贬低佛派。要想改变这个现状，最便捷的方式就是擒贼先擒王。于是，观音以泾河龙王为饵，把唐太宗骗入冥界，让唐太宗参观十八层地狱，感受自己所造的冤孽。唐太宗要想自己长寿，要想大唐江山永固，就必须超度亡魂。可是，唐朝流行的佛经是小乘佛法，只能度己，不能度人。于是，唐太宗选派高僧前往西天取经一事，就水到渠成了。

第四十六节　太宗权术

《西游记》中的唐太宗，英明神武，勤政爱民，与之同时，也非常擅长权术。

唐太宗地府一游后，心惊胆战地还阳。而自从唐太宗死后，后宫妃嫔、诸位皇子都急着操办他的后事。为什么？说穿了，就是一个“利”字。太子既然能成为太子，那必然是代表着朝廷较大的利益集团。唐太宗一死，太子登基后，朝廷人事定会重新洗牌。

幸亏宰相魏征（历史上的魏征并没当宰相）坚持认为唐太宗不会死。魏征说，我少年时学得一些仙法，料定陛下不会如此短寿。

魏征真的有仙法？骗人的。他倚仗的，是和主管生死簿的崔判官相熟。两人早就谈好了条件：你照顾好唐太宗，我照顾好你子孙。

果然，唐太宗在死后第三天，复活了。

复活后，唐太宗就开始张罗两件事。

第一件，在地府时答应送水果给十殿阎罗，谢谢人家款待。这件事情好办，有一个叫作刘全的人，头顶着南瓜，口中吃了死药，在规定的时间死了。一缕阴魂，前往地府。那一个南瓜，就是唐太宗送给十殿阎罗的礼物。堂堂大唐皇帝，富有四海，为何只送个南瓜给阎王。这也太小气了吧？

原来，是人家阎罗指定要南瓜，看原文：

“太宗又再拜启谢：‘朕回阳世，无物可酬谢，惟答瓜果而已。’十王喜曰：‘我处颇有东瓜、西瓜，只少南瓜。’”

所谓“千金难买心欢喜”，不是李世民小气，而是阎王喜欢南瓜。

第二件，是崔判官再三叮嘱唐太宗举办水路法会。这是重中之重。

唐太宗明白，他虽然是人间帝王，但是在仙人面前，根本不算一盘菜。只有照做，才能保全自己。

唐太宗自有打算。他很快展开大讨论：我大唐，到底是要灭佛，还是弘法？

果然，有儒臣上书，大谈佛派的坏处，比如无父无君、不事生产等。唐太宗不表态，让群臣继续讨论。宰相萧瑀乃是隋炀帝萧皇后的弟弟、凌烟阁上第九号功臣，在太宗朝五次出任宰相，最是懂得唐太宗心思。朝会上，萧瑀力挺佛派，宣称佛派惩恶扬善，于国有益。最终，朝中几位重臣都表态，佛派不错，值得提倡。

《西游记》中的唐朝初年，虽有佛派流传，但远不能和道教相比。唐太宗既然询问百官，佛法该不该弘扬，除了极少数榆木脑袋的官员，大家都会明白皇帝的真正用意。

最终，唐太宗统一了百官意见，下诏选拔高僧，举办法会。他还规定，胆敢毁谤佛法者，当断一臂。为了报答还阳之恩，唐太宗也算拼了。

唐太宗对陈玄奘极好。初见陈玄奘，就赐他都僧纲的要职。观音所化的癞头和尚把一件袈裟、一柄锡杖卖价七千两，唐太宗只稍稍询问就答应买下了。癞头和尚说不要钱，唐太宗还一定要给钱。他可不想欠人情。只是，这两件宝贝本就是如来送给陈玄奘的，观音怎能要钱?

唐太宗白得了袈裟、锡杖，传唤陈玄奘入宫。既然这东西是别人送的，唐太宗就另想法子笼络陈玄奘。太宗让他穿上袈裟，拿着锡杖，骑上高头大马，派皇家仪仗队护送，到长安大街上走一圈——就犹如当初陈玄奘老爹当了状元游街夸官一般。满城的百姓都把陈玄奘当成菩萨一般，无不夸赞。陈玄奘心中美得不行。

书中写陈玄奘回到寺庙，“焚香礼佛，对众感述圣恩”。

后来观音显像，告诉唐太宗与陈玄奘，唯有前往西天取大乘佛法《三藏真经》才能超度亡魂。唐太宗面对群僧说：“谁肯领朕旨意，上西天拜佛求经?”看到了吗？唐太宗就是这么聪明。他不直接点名。陈玄奘也是伶俐人，立刻出列说：“贫僧不才，愿效犬马之劳，与陛下求取真经，祈保我王江山永固。”唐僧不但主动答应，还把话说得铿锵有力。

唐太宗大喜，当场表态，愿与陈玄奘结为兄弟。自古以来哪有皇帝与和尚结为兄弟的？面对这份天大恩宠，陈玄奘感激涕零，激动不已。

陈玄奘真的愿意冒着生命危险，前往西天？

晚上，寺庙中，徒弟们询问师父真实想法。陈玄奘说：“我已发了弘誓大愿，不取真经，永堕沉沦地狱。大抵是受王恩宠，不得不尽忠以报国耳。我此去真是渺渺茫茫，吉凶难定。”原来，陈和尚也是受了太宗大恩，不得不为其卖命罢了。

唐太宗送陈玄奘出行一幕，更是把御下之术表现得淋漓尽致。

陈玄奘此去路途凶险，最有可能的，便是逃之夭夭，一去不返。那样的话，可就耽误了唐太宗的超度大业，违背了对崔判官的承诺了。可如何才能约束千万里之遥的陈玄奘呢？

唐太宗用了三招。

一是丰厚赏赐。

唐太宗送给陈玄奘一个紫金钵盂、一匹好马、冬夏衣衫，让陈玄奘吃饭时、走路时、穿衣时，时时刻刻都记得唐太宗的好。

二是情感笼络。

唐太宗询问陈玄奘有无法号，陈玄奘说没有。唐太宗就以国为号，赐名唐僧。他是希望陈玄奘无论走到哪里，都不要忘记自己是大唐人。

临别时，唐太宗亲自举杯祝酒。这已经是盛情，可太宗竟然在酒中放入一撮土，告诉陈玄奘：“宁恋本乡一捻土，莫爱他乡万两金。”陈玄奘一听，万分感动。

三是手段约束。

单单靠感情还不行，唐太宗还需要更强有力的约束手段。

唐太宗给陈玄奘一个通关文牒。凡是经过一个国家，或一个州府，都必须加盖当地官印。以后将其留存大唐，作为陈玄奘曾经前往西天的凭证。

另外，唐太宗给陈玄奘精心挑选了两个随从。这随从武艺高强，忠于皇帝，更重要的是，还肩负监视陈玄奘之责。可是太宗万万没想到，还没出大唐国界，他安排的这两个随从就被妖怪吃了。

第四十七节　最弱妖王

《西游记》中出现了许多强大的魔头，却也有不少不堪一击的妖王。在诸多魔头中，实力堪称最弱的，当属双叉岭的寅将军（虎精）、熊山君（熊精）、特处士（牛精）三怪。

唐僧于贞观十三年九月十二日从帝都长安出发，走到河州福源寺已经是九月二十日左右。唐长老皇命在身，一点不敢怠慢。这一天刚刚鸡叫，唐长老就带着两个随从出发，不想就此踏入险境，遭遇取经出关第一难。

一行三人，连马四口，走了十来里路，到了一处山岭。三人对路不熟，虽有明月，但毕竟看不很远。走着走着，三人就迷了路。

正疑思之间，忽然失足，三人连人带马都跌落坑坎之中。三藏心慌，从者胆战。却才悚惧，又闻得里面哮吼高呼，叫："拿将来，拿将来！"只见狂风滚滚，拥出五六十个妖邪，将三藏、从者揪了上去。

以后唐僧遭遇的种种妖怪，那都是腾云驾雾而来，少不得和孙悟空、猪八戒、沙和尚斗上一斗。可这双叉岭上的妖王，抓个人竟然都不敢正面出手，只敢设置陷阱。实力弱到如此地步！

还有，这寅将军明明白白地知道对付的是三个凡人，一出场却是五六十个妖怪全出。估计若没有众多小弟护卫，他连抓几个人都是不敢的。

西游世界的妖怪和现在修仙小说中的不同。现在的修仙小说，妖怪要开启人智，必须达到很高境界。能化成人形的，更是罕见的强者。在西游世界，妖怪开启灵智者比比皆是。就如在花果山，单是成精的猴子兵，就有四万七千之众。还有七十二洞妖王，每人都有成百上千的部下。一座花果山，便有数十万妖兵。

至于熊山君与特处士，战斗力还远不如寅将军。

为何这么说？

寅将军听闻两位朋友到来，急忙出去迎接。三人的对话很有意思。熊山君说："寅将军，一向得意，可贺，可贺！"特处士道："寅将军丰姿胜常，真可喜，真可喜！"魔王道："二公连日如何？"山君道："惟守素耳。"处士道："惟随时耳。"三个叙罢，各坐谈笑。

从谈话可知，这熊山君虽然修成了精怪，但平日只能吃素。不是他想吃素，而是抓不到人，只能吃素。特处士说话更加委婉，他表示自己吃荤还是吃素要看运气。两人都对寅将军经常可以抓到人羡慕不已。

寅将军为何能抓到人呢？不是因为寅将军本身比他们厉害，而是寅将军聚集了一批小弟——多数小弟还只是开启了灵智的猛兽，连人话都不会说。有小弟壮胆，寅将军更学会了人类的陷阱之术，故此才能够过上吃肉的幸福生活。

或许有人会说，在打黑熊精时，黑熊精的朋友花蛇精和苍狼精也很弱，还有白骨精，那都是被孙悟空一棒子打死的。牛魔王的小情人玉面狐狸也很弱，被猪八戒一钉钯轻松筑死。七绝山上的那个大蛇精，连个人形都没修成，一听到鸡叫就想逃跑，也实在是弱。

其实，这些妖王比起寅将军、熊山君、特处士来说，都要强。

孙悟空在观音禅院失去袈裟之后到处寻访，听到有人议论，找寻声音，看到一个黑汉、一个道士、一个秀士（书生）在谈论举办佛衣会的事情。孙悟空冲上去，一棒子把背对着自己的秀士打死，此怪就是花蛇精。道士和黑汉立刻向两处遁走。

那花蛇精被孙悟空一棒子打死，只能说明他的实力比较弱，并不代表他非常弱。放眼西游世界，有几个人敢在没有防备的情况下挨孙悟空一棒呢？绝大多数神仙可都没有修成金刚不坏之身。

后来，孙悟空和观音一起去抓黑熊精，半路上与一个道士撞个满怀。孙悟空二话不说，抡起金箍棒就打，把道士打了个脑浆迸裂。

并非这道士没用。当时他双手端着一个玻璃盘，上面放着两颗珍贵的仙丹。人家低头走路，准备把仙丹送给黑熊精当贺礼，猝不及防，才被孙悟空一棒打死。以苍狼精（此妖还有一个潇洒的名字，叫凌虚子）与黑熊精平辈相交的身份，和孙悟空走上三五个回合，乃至几十个回合，那都是可能的事情。

于是我们说，花蛇精和苍狼精堪称《西游记》中死得最冤枉的妖怪，但他们不是最弱的妖怪。

白骨精的实力是弱，弱到面对孙悟空毫无反抗之力，但是白骨精精通变化之术。大多数妖怪只能将自己修成人形，而这个幻化之后的形态是固定的。可是，白骨精可以将这个形态任意变化，这可是不小的神通。另外，白骨精在敏捷型英雄孙悟空的飞速进攻下，依然能够两次逃遁，可见她还有一种特别的以命换命的神通。若非白骨精一根筋（也可以理解为艺高人胆大），非要吃到唐僧肉不可，那白骨精完全可以不死。

牛魔王的小情人玉面狐狸主攻的是魅惑之术，其战斗力确实低下。按照常理，猪八戒最容易被女色迷惑，可当时老猪正在狂暴状态下，一路砍杀，打死许多小妖。玉面狐狸在当时还没来得及施展魅惑之术，就被老猪给打死了。此女死得也挺冤。

至于七绝山那不会说话的蛇精，实力可绝对不弱。那妖怪可是和孙悟空斗了半天，虽然斗的只有招架之功，并无还手之力，可毕竟打了好几个小时呢！若等到此妖修行大成，至少也是黑熊精一流的妖怪，战斗力当更强。

回到前文。既然寅将军、熊山君、特处士战斗力如此低下，为何还能一直存活，最终也没有被灭杀呢？

因为他们懂得分寸。

唐僧一行人落入妖怪手中，那马吓得屎尿齐流，随从也哭哭啼啼。唐僧稍好一些，虽然吓得半死，但总算是没丢了大唐御弟的脸面。书中这么写："那黑汉（熊山君）道：'此三者何来？'魔王（寅将军）道：'自送上门来者。'处士笑云：'可能待客否？'魔王道：'奉承，奉承！'山君道：'不可尽用，食其二，留其一可也。'"

熊山君的意思是，若三人有背景，那就不要招惹了。寅将军表态，不是我惹的他们，是他们自寻死路，撞到我的陷阱里，那就怪不得我们了。特处士馋了，询问寅将军能否贡献几个，大家一起开开荤。寅将军答应了。熊山君表示，不能三人都杀掉，还是留下一个吧。结果，三怪毫无争议地吃掉了两个随从，而把地位最高贵的唐僧留了下来。

那唐僧为何能从三怪手中逃脱呢？

书中说："正怆慌之间，渐渐的东方发白，那二怪至天晓方散，俱道：'今日厚扰，容日竭诚奉酬。'方一拥而退。"

三怪吃吃喝喝许久，渐渐的天有点亮了——唐僧凌晨两点来钟出发，到此刻也不过四五点。熊山君与特处士告辞，一拥而退，很多妖怪一起退下。明明要离开的只是熊山君和特处士两妖，为何说"一拥而退"？因为在二妖撤退的同时，寅将军也带着群妖撤退了。

很快，红日高升，唐僧在昏昏沉沉中睡去。等到醒来时，发现有一个老头笑嘻嘻地看着他。这个神秘老头是谁？他为何会在此处出现呢？

第四十八节　金星庇佑

太白金星李长庚在《西游记》中是一个非常特别的人物。此老大力主张招安，两次劝阻玉皇大帝以武力剿灭孙悟空。孙悟空一度对太白金星很厌恶，觉得是此老把自己骗上了天。到许多年之后，孙悟空才明白，太白金星其实一直在保护他。

取经路上，太白金星一共出现了四次。

第一次，双叉岭上从寅将军的陷阱中救了唐僧。第二次，在黄风岭中指点迷津，让孙悟空寻找灵吉菩萨讨要定风珠。第三次，车迟国僧人备受欺凌，太白金星托梦诸僧，告诉他们等待孙悟空前来，求齐天大圣帮忙。第四次，在狮驼岭前，化身老者告诉孙悟空等人狮驼岭如何凶险。

翻遍《西游记》，像太白金星这样，热心关注取经，三番五次主动前来帮忙的仙人仅此一人。即便是佛派那些菩萨与佛，对于取经，也大多是事不关己，高高挂起，并不见得有多热心。反倒是孙悟空一上天庭求救，玉皇大帝就派这个派那个神仙相助。

这是为何？

在绝大多数读者的印象中，西游世界分为两大派：一派是玉皇大帝为首的道派，一派是如来为首的佛派。两派之间斗法不断。唐僧取经就是佛派东扩，道派受挫。

既然取经灭妖是佛道相争的缩影，为何三界仙人（多数是道派神仙）都有求必应呢？

因为《西游记》所讲的并不是简单的佛道之争的故事。

绝大多数仙佛都是在孙悟空求上门之后才出手，甚至有个别仙人，孙悟空求上门也找借口不出手。为何太白金星对唐僧取经如此热心呢？

我曾经指出，菩提就是太上老君。孙悟空能够化石为猴，修成仙身，都是太上老君在暗中推动的。他知道孙悟空桀骜不驯的脾气必然惹出大祸：没有兵器，就去抢；遭遇鬼差，就大闹冥界；授予官职后也不能安分，大闹天宫乃是迟早的事情。但是，孙悟空大闹天宫只是太上老君计划的第一步。

玉皇大帝与元始天尊、灵宝天尊的势力过于强大，太上老君所要做的，是先夺取或者说夺回佛派的控制权。太上老君“化胡为佛”，本就是佛派的开派之祖。但是，如今佛派的主要职位都被如来一方力量控制。

于是，太上老君利用观音与如来的矛盾，扶持观音，打压如来，最后实现燃灯复位或者观音上位，完成对佛派的重新掌控，就成了太上老君第二次反天计划的重要内容。

孙悟空大闹天宫时，太上老君交代心腹放水，结果九曜群战孙悟空不下。王灵官与孙悟空战个平手，佑圣真君却把王灵官调走，派没用的三十六雷将与孙悟空厮杀。玉皇大帝无奈，终于邀请如来到来。安天大会上，如来大显威风。会后，观音适时提出东扩传经计划。如来因自己降伏了太上老君都降伏不住的妖猴而洋洋得意，立刻就答应了下来。

然后，观音主动接手取经行动，亲自挑选取经人。其中，有两位太上老君的门徒、一位玉皇大帝的心腹。

回到前文，太白金星为何会在双叉岭上出现呢？

一方面，因为唐僧只是一介凡人，身边没有一个强有力的帮手。

在收小白龙一回中，孙悟空要去抓小白龙，唐僧一边埋怨孙悟空吹牛皮，竟然降不住白龙，一边担心自己吃亏，不放孙悟空走。孙悟空暴怒。此时，出现了一大批草头神，比如什么六丁六甲、五方揭谛、十八位护驾伽蓝什么的。他们说，是奉了观音法旨守护圣僧，让孙悟空放心去抓妖，由他们保护唐僧。

为何在双叉岭上，这群护法神不出手救唐僧，却是太白金星救了唐僧？

虽然说这些仙人都是毛神，法力低微，但再怎么样，打一个不成气候的虎精还是绰绰有余的。何况，这帮毛神有好几十位呢！唯一的可能，是观音对此事始料不及，在太白金星提醒后，才安排了这批人保护唐僧。

另一方面，这双叉岭不远处就是两界山，两界山下押着齐天大圣孙悟空。如来派人日夜看守，目的是找机会收服这个被道派仇视的妖魔头子。太白金星则是奉了太上老君的命令，暗中护卫孙悟空，防止如来把孙悟空弄死。

太白金星一直隐藏行踪，救下唐僧之后，也告诉唐僧，是唐僧自己“本性元明”，因此妖怪不敢吃。其实，妖怪不敢吃的真正原因是有太白金星保护。

太白金星三番五次化身下凡，来得快，也走得快。他总是在唐僧、孙悟空等人最需要的时候忽然出现，点破关键之后就悄然离去。因为他不想让外人得知他的行踪。他深知，若过分关注取经行动，必然会引起玉皇大帝、如来怀疑或不满。

何以证明太白金星是太上老君的人马？

太白金星不但对太上老君的弟子孙悟空非常关照，对太上老君的另一位弟子猪八戒也很呵护。

很多人说，猪八戒是玉皇大帝派下的奸细，这不对。我们看原文第二十一回黄风岭故事，猪八戒得知是太白金星化身老翁传讯后——“慌得望空下拜道：‘恩人，恩人！老猪若不亏金星奏准玉皇大帝呵，性命也不知化作甚的了！’行者道：‘兄弟，你却也知感恩。’”

猪八戒在太白金星走后，依然慌忙下拜，连连说人家是恩人，足可以看出，当初玉皇大帝确实是因调戏嫦娥案要杀猪八戒，而太白金星是冒了很大风险才救下猪八戒。猪八戒对此也感恩戴德。孙悟空笑猪八戒也知道感恩，其实，他自己也是个感恩的人。只是孙悟空自尊心太强，很少把感激的话挂在嘴上。

若非太白金星是太上老君心腹，何必冒着触怒玉皇大帝的风险出面营救猪八戒呢？

有人会说，太白金星是老好人，能力主招安孙悟空，为猪八戒说情又有什么奇怪？可是，在沙僧被惩罚时，这老好人为何不开口求情呢？

只因沙僧是玉皇大帝的人。

那么，玉皇大帝知不知道太白金星是太上老君的人呢?

就算以前不知道，在大闹天宫之后玉皇大帝也会知道了。但是，即便知道了，玉皇大帝也不敢公然刁难太白金星，毕竟太白金星堪称天庭文官领袖。当然，太白金星也会小心翼翼，夹着尾巴做人，不能让玉皇大帝抓到把柄。

而玉皇大帝文官重用太白金星（太上老君派），武将重用托塔天王李靖（如来派），一文一武，刚好制衡。

得太白金星救护之后，唐僧继续上路，路上又逢猛虎，却被一位好汉所救。此人虽是凡人之躯，却堪比仙佛，可称西游人族第一好汉。此人是谁呢?

第四十九节　第一好汉

修仙者看人类犹如蝼蚁，因为人类只能活区区百岁。即便是仙人中最低等的鬼仙、人仙，那也可以搬山填海，呼风唤雨，有莫大神通。虽然终究难免一死，但活个三五百年却不在话下，更不要说神仙、地仙乃至天仙了，这些仙人少的有几千年的寿命，长的则寿与天齐。相比人类，仙人可谓高矣，可谓能矣!

可是，在《西游记》中有那么一个人，虽然寿命不长，可是活得坦坦荡荡，活得逍遥自在，活得豪气迸发。他的一生，即便与三界仙佛相比，也毫不逊色。

此人，便是可称西游世界人类第一好汉的刘伯钦。

刘伯钦究竟有何独特之处呢？

其一，刘伯钦威猛无敌，绰号镇山太保，乃是实打实的传奇兽王。

唐僧在太白金星援救下，脱离寅将军（虎精）的陷阱，孤孤单单、凄凄惨惨而行。书中这么写刘伯钦的出场：

“正在那不得命处，忽然见毒虫奔走，妖兽飞逃；猛虎潜踪，长蛇隐迹。三藏抬头看时，只见一人，手执钢叉，腰悬弓箭，自那山坡前转出，果然是一条好汉。”

单看前句，写得排场极大，也不知道是哪个妖王魔头出现，谁料后面出场的却是一个人类。这人手上拿着钢叉，腰上挂着弓箭，头上戴着花豹皮做的帽子，身上穿着羊绒编织的衣服，腰间束着狮蛮带，脚下穿着麂皮靴，简直就是山神转世，威风凛凛，霸气十足。

唐僧一看到此人前来，立刻下跪，高喊：“大王救命，大王救命！”那大汉很是热心，主动上前搀扶起唐僧，告诉唐僧自己的身份。

刘伯钦很谦虚，他只说自己是山中的猎户，出来是为了打点山虫当饭吃。其实，刘伯钦乃是这附近一带赫赫有名的兽王，双叉岭到两界山的所有毒虫猛兽，即便是通灵的妖兽，都臣服于刘伯钦的脚下。他外号“镇山太保”，绝对不是吹的。

刘伯钦虽然武艺高强，体壮如牛，可对孱弱的唐僧非常恭敬。

身在下位，对人谦和很容易；而身在上位，依然能平视他人者，寥寥无几。

刘伯钦主动提出，请唐僧到他家歇息，明早送唐僧出行。唐僧大喜。

正在赶路时，刘伯钦听到了远处传来呼呼的风声，好像有个大东西来了。唐僧吓得躲在马后不敢走。刘伯钦大踏步冲上前，草丛中赫然便是一只斑斓猛虎！奇怪的事情发生了，那只大老虎一见是刘伯钦，掉头就走。刘伯钦大喝一声，跃向前去。大老虎无奈，只能转身抡爪扫过来。刘伯钦与大老虎战在一处。

一人一虎就这样你来我往，足足打了两个小时，最终，老虎先累了，挥爪转身的动作稍慢，在老虎扑过来的瞬间，被刘伯钦抬手一叉，刺入胸脯，直中心脏。刘伯钦一抬手，就把数百斤的大老虎扛了起来。

这老虎很厉害，远非寻常老虎。极有可能是昨晚上用陷阱抓到唐僧的寅将军。他因太白金星来临而匆匆躲避，这次本想追上来咬死唐僧，谁曾想遇上了镇山太岁刘伯钦。算它倒霉！

刘伯钦杀虎的时候，唐僧干吗呢？唐僧骨软筋麻，想跑都挪不动地方。

其二，刘伯钦虽然勇悍，却有一颗赤子之心，善良孝顺，让人敬佩。

刘伯钦带唐僧到家中，把母亲、妻子一一引荐。母亲一旁询问唐僧来历，刘伯钦说明后，刘母大喜，表扬儿子做得对，就应该善待他人。刘母又提出，明天就是刘伯钦父亲去世周年的忌日，本来想让刘伯钦今天去寻个僧人，没想到有高僧上门。刘伯钦马上恳请唐僧为父亲诵念经文，超度超度。

晚上吃饭的时候，还闹了一些笑话。刘伯钦有数十个手下，大家把桌子摆在一起，端上热腾腾烂熟的老虎肉，一起坐下来吃。唐僧说自己从小吃斋，不敢破戒。刘伯钦为难了，说自己家中全都是各种兽肉，即便是有些竹笋、木耳，也是用油腻透了的锅炒的。唐僧表示，没关系，自己就是三五天不吃饭也顶得住。最后还是刘母和刘妻把锅碗洗了又洗，才弄好素菜。

这段时间，刘伯钦一直在旁边等着。等到唐僧的斋菜、斋饭上座了，刘伯钦实在饿了，抓起虎肉就往嘴里塞。可看到唐僧双手合掌，开始念经，刘伯钦立刻不敢动筷，还站起身来，等候唐僧念完。他本以为唐僧会念很久，没想到没半分钟，唐僧就拿起筷子吃了起来。刘伯钦这才把虎肉塞入嘴中，并嘟囔道：“你是个念短头经的和尚？”唐僧告诉他，自己念的不是经，只是吃饭前的一个咒。刘伯钦又嘟囔：“你们这些出家人，规矩真多！”

其三，乐天知命，遵循天道法则。

刘伯钦带着唐僧到家中各处闲逛，唐僧看到后院中养了不少肥鹿、黄獐，即便是人靠近它们，它们也一点不害怕。唐僧觉得奇怪。刘伯钦就说，长安城中那些富贵人家，喜欢攒钱；种庄稼的农民喜欢攒粮食；我是一个猎户，就养一些野兽。为何这么做呢？刘伯钦说：“备天阴尔。”

刘伯钦有一身精湛的武艺，有熟悉的丛林知识，更有超人的胆魄器量，以他的手段，无论是出山做军官，还是啸聚山林做个土匪，还是靠山吃山，贩卖山货，都可以吃穿不愁。可是，刘伯钦安心做一个普通猎户。而他打猎，只是够吃就行。

刘伯钦平日里并不滥杀。前文中杀虎结束后，刘伯钦说："今天唐长老你运气不错，这只大山猫，足够长老吃几天了。"若是在往日，见到大老虎转身就跑，刘伯钦会放其一条生路。他这次之所以追上去杀虎，完全是想着把这老虎割肉烘干，送给唐僧做干粮。

住了两晚后，唐僧要出发了。刘伯钦拿钱感谢，唐僧不要。刘母就准备了许多烧饼干粮给唐僧，刘伯钦则又护送了唐僧一程。唐僧本以为刘伯钦会多送自己一程，没想到才走了半天，刘伯钦就不走了，理由是"长老不知，此山唤做两界山，东半边属我大唐所管，西半边乃是鞑靼的地界。那厢狼虎，不伏我降，我却也不能过界，你自去罢"。

唐僧听了，一颗心顿时哇凉哇凉，傻在了那里。

以刘伯钦的身手，即便是到了两界山的对面，也足可以保唐僧安全。只是，游戏有游戏的规则，明白人都会遵守这个规则。知道自己的不足，不贪不占，乐天知命，刘伯钦虽然是一个粗鲁人，却深具道心。

其实，纵是三界仙佛虽然有所谓长生，但也有每五百年一次的天劫。即便成功躲过了三次小天劫，从神仙、地仙跃居成为天仙，那还有十二万九千六百年一次的大天劫。

还有，天上一天，人间一年。在天上活一年，就要耗去三百六十年的寿命。也就说，一个拥有三万六千年寿命的神仙，在天界也只不过能活一百年。

为了活命，许多神仙还要闭关苦修，炼气打坐，其间的辛苦和风险，又怎是羡慕仙人的人类可以知晓的呢？还不如像刘伯钦一样，洒脱率性地生活，即便只能活几十年，那也是没有遗憾的一生。

在刘伯钦这一回中，有一些读者还有一个疑问。

在长安城中，观音宣布，只有大乘佛法才能度鬼超生，可是唐僧在刘伯钦家中念小乘佛经竟然也度化了刘伯钦之父。

这是怎么一回事呢？莫非观音在撒谎？

第五十节　佛经度鬼

唐僧得刘伯钦相助，虎口逃生。刘伯钦邀请唐僧到家中安歇，恰逢刘父周年忌日，刘伯钦就央求唐僧帮忙做场法事。原文说：

“这长老净了手，同太保家堂前拈了香，拜了家堂。三藏方敲响木鱼，先念了净口业的真言，又念了净身心的神咒，然后开《度亡经》一卷。诵毕，伯钦又请写荐亡疏一道，再开念《金刚经》《观音经》，一一朗音高诵。诵毕，吃了午斋，又念《法华经》《弥陀经》。各诵几卷，又念一卷《孔雀经》，及谈较洗业的故事，早又天晚。献过了种种香火，化了众神纸马，烧了荐亡文疏。佛事已毕，又各安寝。”

当初，唐僧在长安城高坐说法，观音菩萨化身癞头和尚前去喝止说："那和尚，你只会谈小乘教法，可会谈大乘么?"观音强调，唐僧说的所谓佛法，都是小乘佛法。

唐僧听闻，大惊失色，连忙走下座位，向观音行礼说："老师父，弟子失瞻，多罪。见前的盖众僧人，都讲的是小乘教法，却不知大乘教法如何。"此处，唐僧明确说，自己以及所有唐朝的和尚，念的都是小乘佛经，说的都是小乘佛法。

观音颇为高姿态地说："你这小乘教法，度不得亡者超升，只可浑俗和光而已。我有大乘佛法三藏，能超亡者升天，能度难人脱苦，能修无量寿身，能作无来无去。"观音公开说，小乘佛法只能度自己，不能度他人。可是，大乘佛法就不同了，不但能度人脱离苦难，其中还有长生秘诀。

唐僧还想询问，观音菩萨却飞上高空，只是说，要想求取大乘佛法，必须去灵山大雷音寺。

也就是说，唐僧在观音处，只是听闻大乘佛法之名，从没有亲眼见到、亲耳听到大乘佛法，即唐僧在刘伯钦家中念的经书，全部都只能是小乘佛经。

第二天天亮，刘伯钦一家三口都表示，自己晚上做了个奇梦，梦中刘伯钦的老父亲——那个死去一年多还不得投胎的鬼魂前来告诉家人："在阴司里苦难难脱，日久不得超生。今幸得圣僧，念了经卷，消了我的罪业，阎王差人送我上中华富地长者人家托生去了。你们可好生谢送长老，不要怠慢，不要怠慢。我去也。"

为了让读者相信刘伯钦父亲托梦绝非作假，作者特意写刘伯钦媳妇向刘伯钦叙述梦境，之后刘母主动向儿、媳叙述梦境。作者就是要告诉读者，刘家三口人没有串供，刘伯钦父亲确实托梦了。

换言之，唐僧念小乘佛法成功度化了具有罪孽的刘父。

如果小乘佛经具有大乘佛经度化冤魂的功效，那唐僧为何还要不远千里，长途跋涉去西天取经呢？

一晃，十四年后，唐僧终于到达灵山。在交上紫金钵盂之后，阿傩、迦叶二尊者终于开始传经了。如来一直宣扬自己有大乘佛法《三藏真经》，共计一万五千一百四十四卷。二尊者传给唐僧多少呢？五千零四十八卷。唐僧师徒辛辛苦苦走了十四年，降妖伏魔，弘扬佛法，作出了许多贡献。结果，取到的经书，不过是一藏之数。

在传给唐僧的五千多卷佛经中，具体有什么经书呢？原文中说："《涅槃经》四百卷……《首楞严经》三十卷，《金刚经》一卷……《法华经》十卷……《菩萨戒经》六十卷，《大孔雀经》十四卷……"

我们对比唐僧在刘家念的经书，会惊讶地发现，唐僧当日念了七种经书，竟然有两种经书名与之完全相同，还有两种疑似相同。

这是怎么回事？

《西游记》第八回叫作"我佛造经传极乐　观音奉旨上长安"。在文中，如来本人也说："我今有三藏真经，可以劝人为善。"言下之意，《三藏真经》乃是如来创作。可是，为啥大乘佛经中竟然还有不少小乘佛经呢？

那么，吴承恩笔下这个看似破绽的地方，究竟有何深意呢？

其一，传经不是如来真意。

在降伏孙悟空时，如来就表示，未来有人会去解救孙悟空。由此可见，如来早就盘算传经东土。只是，以何种方式传经，还需要时间安排。

所谓“台上一分钟，台下十年功”。用在取经行动上也是如此。唐僧师徒取经走了十四年，降妖伏魔看起来辛苦万分。可是，若和观音、如来的辛苦相比，唐僧受到的苦难不值一提——观音和如来可是花了五百年来谋划传经。

取经行动看似艰辛，其实每一次都是有惊无险。这多亏了观音在幕后的工作，还有如来对大局的把握。说得直白点，各路妖魔抓唐僧，大都是友情演出而已。

如来的真意，是要通过取经行动一路弘扬佛法。正因为如此，唐僧一心为了《三藏真经》，万里跋涉到了灵山，如来却说：“将我那三藏经中三十五部之内，各检几卷与他，教他传流东土，永注洪恩。”传经时，阿傩、迦叶先是索要人事，后是传白卷，看起来是二尊者为难唐僧，其实是二尊者充分领悟了如来的真意。

唐僧师徒到达灵山，就意味着任务完成。至于《三藏真经》，只是吸引唐太宗派人前去灵山的一个诱饵。

其二，佛经能否度人，关键看谁念。

从超度刘伯钦父亲一事来看，小乘佛法拥有超度亡魂的功效。可是，另一个事实是，上千名大唐高僧汇聚长安，共同诵念小乘佛经，都无法超度地狱冤魂。

那么，为何别人念小乘佛经不行，唐僧念就行呢？

唐僧可不是普通人。他是如来佛祖的二弟子，是玉皇大帝批准、如来主持、观音策划的取经行动的主人公。用原著的话来说，唐僧是“圣僧”。

无论金蝉子此前的地位，还是唐僧今日的影响，那都是幽冥阎罗王所不敢对抗的。

我们再看刘父托梦的那段话，就会发现确实另有含义。

刘父为何能被超度？是因为“圣僧”念了经卷。书中有交代，刘伯钦本来是想到山下请两个和尚来念经的。若是他们念，决然无效！

何况，幽冥何其广大，即便判官也有成千上万名，一般情况怎么会轮到阎罗王亲自审案？可是，唐僧一念经，立刻就惊动幽冥，阎罗王不但亲自审理刘父的案件，而且亲自派人送刘父前往中华富地长者人家托生。

这是唐僧的面子太大。

阎罗王也没有法子。只要有关取经行动，他必须开一路绿灯。

于是，一个罪孽深重的鬼魂，只因有背景的和尚念了一遍经书就超度了——估计唐僧随便念什么，都有效。就像后来孙悟空求雨，不用念咒，只用金箍棒一指，风雨雷电都来了。

其三，佛经重名中潜藏着佛派内部斗争。

小乘佛教流传已久。在《西游记》中，不但是南赡部洲，就连西牛贺洲流行的都是小乘佛经，大家修习的都是小乘佛法。

虽然书中没有明确说明小乘佛经的创造者是谁，但我们可以推测，这小乘佛经当是燃灯古佛等过去佛创造了小乘佛法。

佛派不单是在三界的影响力不足，即便是在佛派内部也矛盾重重。如来虽用尽心力，可还是无法消除佛派内部斗争。

于是，如来创作了大乘佛法《三藏真经》，并大力宣扬大乘佛法。

在创作《三藏真经》的时候，如来应该是刻意吸纳了小乘佛经中优秀的部分。于是小乘佛经中诸如《金刚经》《法华经》之类也被放入了大乘佛经。

那么，大乘佛经是不是真的有超度冤魂的效力呢？《西游记》结尾时，唐僧正准备诵念真经，却被八大金刚抓走，根本没有来得及诵念大乘佛经。所以，大乘佛法到底能否度人，不得而知。

第五十一节　谁闹天宫

唐僧在刘伯钦的陪同下，来到两界山下，见到了压在山下的神秘石猴孙悟空。此时，距离大闹天宫，已经过去了五百年。

坊间有一个流传颇广的观点说，孙悟空被压在山下已经六百多年了，五百年前大闹天宫的其实不是孙悟空。

孙悟空被压在五行山下到底有多少年？

这似乎不是一个问题。因为，每当介绍生平时，孙悟空总是说："俺乃五百年前，大闹天宫的齐天大圣！"不过，事情并非如此简单。

原著第十四回叫作"心猿归正　六贼无踪"。在这一回中，唐僧向刘伯钦询问孙悟空的来历，刘伯钦如此说："先年间曾闻得老人家说：'王莽篡汉之时，天降此山，下压着一个神猴，不怕寒暑，不吃饮食，自有土神监押，教他饥餐铁丸，渴饮铜汁。'"在这里，刘伯钦明确提到，五行山从天而降，是在王莽篡汉时期。

唐僧救出孙悟空后，别过刘伯钦，来到一户人家投宿。那户主人是个老者，孙悟空一见面就说，曾经见过老人。老人很奇怪，仔细询问。孙悟空笑说："你小时不曾在我面前扒柴？不曾在我脸上挑菜？"老人询问孙悟空年纪，孙悟空反问老人几岁。老人说自己已经活了一百三十岁。唐僧连连赞叹。孙悟空却说，这点年纪，只配当他重子重孙。唐僧训斥孙悟空别胡说。老人却笑着说："是有，是有。我曾记得祖公公说，此山乃从天降下，就压了一个神猴。"大家哈哈大笑，很开心。之后，孙悟空提出："我有五百多年不洗澡了，你可去烧些汤来。"随后师徒沐浴，就寝。

作者为何在刘伯钦出场后，又让唐僧师徒遇见一个老人？我觉得，目的之一，就是要让读者们都明确，孙悟空在五行山下压了五百多年。

正因为孙悟空被压了五百多年，才能扼住心魔。正因为孙悟空认识到自身的困境，才会选择取经。当然，被压许久，猛然跳出，孙悟空也必然不甘约束。于是，在短暂的和睦后，他和唐僧发生激烈冲突。

以上，都很好理解。不过，王莽篡汉距离唐僧取经，明明是六百多年呢！

王莽在公元 8 年发动政变，废掉汉帝，自称皇帝，改国号为

“新”，为国十五年而亡。唐僧从贞观十三年离开长安，前往西天取经。贞观十三年乃公元639年。

只要有小学数学水平，就可以知道，从王莽篡汉，到唐僧救出孙悟空，其间经过了632年。

也就是说，孙悟空被压在五行山下并非五百多年，而是六百多年。

于是，坊间有观点认为，五百年前大闹天宫的，其实不是孙悟空，而是狮驼岭上的狮魔王。

唐朝没有“度娘”，猴哥确实很难在第一时间算清楚自己被压的时间。但是，此后八戒加入、沙僧加入，还有路上遇到无数妖怪，孙悟空都介绍自己在五百年前大闹天宫。面对这个陈述，除了极少数有背景的妖怪嘲笑孙悟空是弼马温外，为何没有任何妖怪对五百年前大闹天宫这个陈述有怀疑？

于是，矛盾就出现了。孙悟空被压在五行山下究竟多少年呢？

我认为，就是五百多年。

为何这么说？

在原著第八回“我佛造经传极乐　观音奉旨上长安”中，如来佛祖曾说：“自伏乖猿安天之后，我处不知年月，料凡间有半千年矣。”如来佛虽然早有东扩之心，但真正把行动提上议事日程，是在如来降伏妖猴孙悟空，安定天庭，得到玉皇大帝首肯之后。降伏孙悟空，是传经计划的开端，这一个时间点非常重要。

如来明确提到，从孙悟空被降伏压在五行山下，到如今已经五百年。

就在当天，如来提出传经计划，观音奉命前往长安，沿途收编妖魔做取经人徒弟。不久，观音就来到了长安。这一年，就是贞观十三年。

贞观十三年九月，唐僧奉命取经。深秋时节，唐僧将孙悟空救出五行山。

那么，如何解释王莽篡汉的时间误差呢？

我认为，《西游记》是一本小说，并且是神魔小说。它的许多设定，不能简单等同现实，等同历史。就比如历史上唐太宗使用贞观年号不过二十三年，随即病逝。可是，《西游记》中唐僧从贞观十三年出发，走了十四年，即贞观二十七年才回归，而那时候唐太宗还活蹦乱跳的。唐太宗一直活到贞观三十三年才去世。

我们品读西游，还是要以西游原著为据。

以吴承恩的历史知识，绝对知道王莽篡汉是在六百多年前。他之所以还要用不同的人物反复强调孙悟空仅仅是被压了五百年，那是因为他看重的不是王莽篡汉距离取经行动的时间距离，而是王莽篡汉事件本身的意义。

唐代大诗人白居易曾经写过一首诗，叫作《放言》，其中，后四句云："周公恐惧流言日，王莽谦恭未篡时。向使当初身便死，一生真伪复谁知。"

王莽乃是一个超级野心家，此人貌似忠良，在称帝之前，人人都把他当作周公，当作千古贤臣。可谁也没有想到，他竟然篡夺了大汉江山。王莽虽一度成功，但最终被镇压，亡国亡身。

吴承恩是要告诉我们，孙悟空大闹天宫，其实与王莽篡汉有着许多相似之处：同样是野心家，同样貌似忠良，同样发动政变，同样被镇压。

只是，在《西游记》中，这个野心家潜伏得很深。被镇压的孙悟空，只是这位野心家的棋子而已。

至于狮驼岭的狮魔王，他有没有大闹天宫呢？在群妖印象中，五百年前大闹天宫的猛人是狮魔王，还是孙悟空呢？

狮魔王大闹天宫的事迹，在全书中，仅仅在狮驼岭上小钻风口中出现过，他介绍说："我大王神通广大，本事高强，一口曾吞了十万天兵。"

孙悟空一听就认定对方是胡扯，小钻风忙解释说："长官原来不知，我大王会变化：要大能撑天堂，要小就如菜子。因那年王母娘娘设蟠桃大会，邀请诸仙，他不曾具柬来请，我大王意欲争天，被玉皇差十万天兵来降我大王，是我大王变化法身，张开大口，似城门一般，用力吞将去，唬得众天兵不敢交锋，关了南天门，故此是一口曾吞十万兵。"

小钻风说，狮魔王想要争天，于是十万天兵来抓狮魔王，可是，却又说彼此根本没有交战，仅仅是狮魔王一张口，就吓退了十万天兵。

此事可不可信呢？应该说，此事一分真，九分假。

小钻风本来就是在吹牛皮，被孙悟空点破后，自己也承认"吞十万天兵"是个谎言。

并且，《西游记》中描述的狮魔王，是一个胆小怯弱的妖魔，根本不像孙悟空那样，天不怕地不怕，无所畏惧。

当听闻孙悟空是齐天大圣，准备磨棒子打他们的时候，狮魔王主动提出别抓唐僧，放他西去。被孙悟空在肚子里折腾了一下后，狮魔王甚至跪拜叩头，恳请饶命。这种性情的妖怪，也敢争天？

还有，他不过是文殊菩萨的坐骑而已，与孙悟空交手，打二三十个回合就落败了。这种妖怪有什么资格、有什么本事敢去争天？

真正大闹天宫的，只可能是齐天大圣孙悟空！

第五十二节　如来很忙

孙悟空为何被压在五行山下五百年呢？

这似乎是一个不成问题的问题。但我们深入思考下去，会发现这个问题绝不简单。因为，在孙悟空被压的五百年里，如来非常忙碌。他的种种行为，使他借助取经行动，一举改变了人间乃至三界的格局。

玉皇大帝具有天庭官方的显形势力，太上老君则具有江湖宗派的隐形势力。这一明一暗两股势力都非常庞大。如来虽然号称西方佛老，但是在大闹天宫时，佛派的势力还不强，人间崇奉的大都是道派。

所以，在天庭两大巨擘的斗法中，如来选择了不偏不倚。他集中精力，开始了传经计划。

五百年来，为了让传经计划顺利进行，如来做了哪些事情呢？

首先，如来派金蝉子下凡。

关于金蝉子在灵山的经历，全书仅仅是借镇元大仙之口，提到一笔："那和尚乃金蝉子转生，西方圣老如来佛第二个徒弟。五百年前，我与他在盂兰盆会上相识，他曾亲手传茶，佛子敬我，故此是为故人也。"

作为如来的第二个弟子，在佛会中出面招待三界大仙，金蝉子必然是被如来佛看重的。正因为如此，镇元大仙在五百年后才要特意献上人参果作为回馈。

关于金蝉子下凡的原因，文中有两处提到。一处是第一百回如来介绍说："因为汝不听说法，轻慢我之大教，故贬汝之真灵，转生东土。"一处是第八十一回孙悟空说："你那里晓得，老师父不曾听佛讲法，打了一个盹，往下一失，左脚下翙了一粒米，下界来，该有这三日病。"

如来与孙悟空都提到，金蝉子被贬下凡的原因是听如来讲课时不认真，开小差。如来没说具体表现，孙悟空则说是金蝉子打了瞌睡。

事情真的如此吗？

当然不是如此。

金蝉子被贬斥，只是一个借口，一个让金蝉子悄悄从三界群仙眼中消失的理由。

金蝉子这个取经关键人物，必须很早就离开灵山。

此后，金蝉子经历了九世轮回，除了观音知道金蝉子的真身是谁，其他人早已经将金蝉子淡忘。一直到观音到长安寻访取经人，大家才蓦然发现，金蝉子已经成为唐太宗主动选择的取经人。

其次，如来与观音详细制定了取经路线，沿途的各大妖魔基本上都是奉命下界的仙人。

在平顶山，太上老君明确提到，金角、银角乃是观音向他求取了三次，这才答应让他们下界的。还有太上老君的青牛精、太乙救苦天尊的九头狮子精，表面上是走丢的，其实都是故意放下山的。他们这样做，也并非破坏取经，而是要配合取经。

更多的，是诸佛、菩萨的宠物、坐骑下凡。比如通天河的金鱼精、朱紫国的赛太岁，都是观音暗中放出的。比丘国的青狮、狮驼岭的狮魔王是文殊菩萨的坐骑，大象精则是普贤菩萨坐骑。

最后，如来研发出三界罕见奇宝紧箍儿。

在《西游记》中，如来绝对是炼器大师。他制造出来的紧箍儿非常神奇。

当日，如来告诉观音说："此宝唤做'紧箍儿'；虽是一样三个，但只是用各不同，我有'金、紧、禁'的咒语三篇。假若路上撞见神通广大的妖魔，你须是劝他学好，跟那取经人做个徒弟。他若不伏使唤，可将此箍儿与他戴在头上，自然见肉生根。各依所用的咒语念一念，眼胀头痛，脑门皆裂，管教他入我门来。"

紧箍儿有哪些神奇处？

一是声控，且有效距离极远。在书中，还特别强调了声控的距离。孙悟空曾经要唐僧脱掉紧箍儿，因为即便是在千万里外，只要唐僧一念咒，他依然会头痛欲裂。

二是使用者无下限。许多法宝在使用时都有一定的要求。比如金箍棒，若不是天生神力，根本玩不转。大多法宝都需要用法力催动。也就是说，没有修炼的凡人即便手中拿着法宝，也无法使用。可是，紧箍儿却不同。没有任何法力的凡人唐僧，在口中诵念《紧箍咒》的情况下，竟然可以驱使天仙级别的高手孙悟空。

三是一旦戴上，就无法脱下。紧箍儿很神奇，一旦戴上，见肉生根，孙悟空想尽了办法也弄不掉。后来，青牛精使用金刚琢，吸走了各路仙人的兵器、法宝，可是，孙悟空的紧箍儿却没有被吸走。其中原因就是，这紧箍儿乃是锁定了孙悟空的元神。孙悟空元神不灭，紧箍儿就不会离开。

至于紧箍儿最终消失，唐僧说："当时只为你难管，故以此法制之。今已成佛，自然去矣，岂有还在你头上之理！你试摸摸看。"也就是说，如来在最初炼制紧箍儿的时候，就设置了自动终结程序。除非孙悟空顺利完成取经任务，任凭谁（至少是法力低于如来者），都不能取下紧箍儿。

成功炼制出紧箍儿，让唐僧能够找到三个神通广大的妖魔做徒弟，以确保取经的顺利进行。

第五十三节　师徒生隙

唐僧在两界山下见到被压其中的孙悟空时，孙悟空万分欢喜，主动表示只要唐僧救他出来，就愿意给唐僧做个徒弟，保护师父一路西去。唐僧随后上山，揭去如来压帖。孙悟空待唐僧走远后，一发力，崩碎五行山，冲天而出。

孙悟空果然不负诺言，脱困之后来到唐僧面前，恭恭敬敬跪下，对唐僧行拜师大礼。师徒二人都非常高兴。

可是，师徒二人的和谐关系没有持续几天，矛盾就恶化到无可化解的地步，最终强力爆发。孙悟空一怒之下，离开唐僧，准备回花果山做妖仙去。

唐僧虽然有点怯弱、有点唠叨，但不可否认，唐僧是一个心中慈悲、关爱世人的好和尚。孙悟空虽然有些叛逆，却也是个重情重义的好汉。可为何这样两个人走到一起，无法好好相处下去呢？

首先是两人的价值观念不同。

唐僧与孙悟空矛盾冲突的关键点是因为六个强盗。

唐僧二人行走间，忽然从山林中蹿出六个强盗。这六人个个手持利刃，要二人放下行李、马匹，否则就把二人砍死。唐僧吓得半死，孙悟空却欢喜异常，连连说六人是送衣服、送盘缠来给他的。六个强盗大怒，冲上来对着孙悟空乱砍。孙悟空岿然不动，任他们刀砍剑削。等到六人打得手酸，孙悟空拿出金箍棒，追上去将这六人全部打死。

孙悟空笑吟吟地回来，告诉唐僧，六人已经被他全部杀死。

唐僧恼怒，批评孙悟空不该打死六人。这六人就算是送到官府，也不是死罪。孙悟空就算本领高强，也只该把六人赶走即可。孙悟空将六人打死实在过分，全无一点慈悲心肠。

孙悟空反驳说，若是不把六贼打死，恐怕他们就会把唐僧打死。

唐僧说，就算是把我打死，那也仅是一条性命，你孙悟空却杀了六人。然后，唐僧说：“就是你老子做官，也说不过去。”——唐僧还是太善良，见识少啊！

孙悟空恼了，说，想当年自己在花果山做齐天大圣时，也不知道打死了多少人。可是，哪个官府敢管他！

唐僧讽刺说，就因为你没人管，才会欺天罔上，行凶逞能，才会被压五百年。说到激动处，唐僧说：“若是还像当时行凶，一味伤生，去不得西天，做不得和尚。忒恶！忒恶！”唐僧此话，无异于宣布把孙悟空逐出门墙，赶出取经队伍。

孙悟空大怒说，既然你如此恶我，那我走就是了。孙悟空刚说完，一个筋斗云就飞没影了。

唐僧是以一个凡人的观点来看待打杀六贼一事。在他看来，人命关天，乃是最大的事情。可是，孙悟空是天仙，是横行三界的大魔王，在他看来，人类和蝼蚁无异。孙悟空在花果山不但打死了不少来抓捕猴子的猎人，还吃了很多人呢！

并且，唐僧评判是非的标准是对等原则，一命抵一命。孙悟空不该杀人，即便杀人，杀一人足矣。可孙悟空奉行的是强者为尊、力量至上的丛林法则。杀几个人，为何要杀人，全凭强者喜好。强者操控世界，强者就是律法，弱者则该被掌控、被杀。

两人的观念如此不同，发生冲突乃是必然的事情。

其次是两人的能力和身份不符。

在唐都长安，唐僧有许多弟子。唐僧在佛法的领悟上远远高于弟子，在社会的地位远远高于弟子。于是，他在弟子面前，可以高高在上，可以受人尊崇。弟子为了学到更高深的佛法，获得更高的社会地位，那就必须听从唐僧的命令。

孙悟空虽然拜唐僧为师，可他对于唐僧无所求。唐僧也完全不能约束孙悟空。

唐僧需要借助孙悟空的力量，斩妖除魔，前往西天取经。而孙悟空只需要借助唐僧揭下佛祖的压帖，从五行山脱困。孙悟空脱困后，唐僧还能给孙悟空什么?

唐僧只是一介凡人，没有孙悟空寸步难行。孙悟空却是天仙，离开唐僧后海阔天空，在哪里都可以活得很自在。

为了改变这一现状，观音菩萨给了唐僧一个金箍，传授他《紧箍咒》。唐僧只要念诵《紧箍咒》，就可以把天仙级别的孙悟空痛到死去活来。甚至若念诵多遍，可以活活让孙悟空疼晕、疼死。

金箍是一个很神奇的法宝，它虽然有重大弊端，即必须接触到仙人的头颅，才能发挥效用，但是，它对施法者的要求很低。一介凡人如唐僧，通过《紧箍咒》，就可以在力量上完胜孙悟空。

最后是取经对于两人的意义不同。

取经，对于唐僧来说至关重要。一方面，是大唐太宗有令；另一方面，是唐僧本人对修成正果的渴望。两个方面的需求，让唐僧不能退让，不能放弃。可是，取经对于孙悟空，却是可有可无。

观音菩萨当年答应让孙悟空取经之后重得正果，即重新获得仙界编制。只是，这个正果太虚妄。取经路上艰辛异常，唐僧一介凡僧能到达西天的概率极低。何况，多数修仙者渴望得到仙界编制，是渴望吃到蟠桃以延续寿命。而孙悟空早就吃了无数蟠桃，吃了太上老君无数仙丹。他在大闹天宫前，就已经达到与天地同寿的境界，在吃了蟠桃和仙丹后，不但身体变成了金刚不坏之身，寿命自然也无限期延长。

所谓正果，对孙悟空的吸引力并不大。

不过，东海龙王的一番话还是深深打动了孙悟空。

孙悟空一怒离开唐僧后，来到东海拜访龙王。龙王询问孙悟空近况，孙悟空说了。龙王先是道贺："这等真是可贺可贺！这才叫作改邪归正！"得知孙悟空和唐僧闹别扭后，龙王好言安慰。

两人喝茶聊天，孙悟空看到墙壁上有一幅画，画的是张良"圯桥进履"的故事。孙悟空顺口询问，龙王则谆谆教诲，告诉孙悟空，图中老人乃是黄石公，年轻人是汉朝的张良。张良要拜黄石公为师，黄石公故意把鞋子丢下桥去。张良一点不恼，三次下桥捡鞋子，恭恭敬敬给黄石公穿上。黄石公看张良不错，于是传授他天书，让他辅助汉室。张良在成功之后，弃官不做，最终悟道成仙。

龙王说："大圣，你若不保唐僧，不尽勤劳，不受教诲，到底是个妖仙，休想得成正果。"孙悟空听了沉默不语。龙王又道："大圣自当裁处，不可图自在，误了前程。"听到这里，孙悟空站起来说："莫多话，老孙还去保他便了！"

前面我们说了，孙悟空对于所谓正果其实并不看重，为何听了龙王的话后就改变了主意呢？

东海龙王的话，说得很含蓄，可已经把些许意思点明了。孙悟空听懂了，这才告诉龙王不用多说了。

孙悟空听明白了什么呢？

面对黄石公的刁难，张良为何恭恭敬敬，捡鞋不误呢？因为张良看得长远，他必须学到天书。而孙悟空离开唐僧后，虽可以快活一时，但以后呢？

经历了大闹天宫之后，孙悟空成长了许多。在以往，孙悟空自高自大，目空一切，可是，在被压五百年后，孙悟空想明白了很多以前没看透的事情。其中最关键的，便是自己的实力。

若没有观音以及观音背后的佛派势力支持，孙悟空不可能从五行山下出来。即便出来，也将重新面对天庭仙人的敌视。而加入取经队伍，则是一个重新回到主流仙界的机会。是做一个妖仙，成为仙界公敌，还是保唐僧取经，换一种方式得到仙界的尊重？孙悟空选择了后者。

何况，孙悟空虽可以违背与唐僧的约定，可他还和观音有约定，和观音背后的佛派有约定。一旦他真的违约，面对的不仅是道派的打压，更有佛派的打压。到那时候，估计三界再无孙悟空立足之地。

这也是孙悟空离开唐僧后，没有回花果山，而是直接来东海的原因。孙悟空虽然还有些暴脾气，但早就不是当年那个愣头青了。

第五十四节　白龙夺嫡

唐僧与孙悟空言归于好后，一路西行。到了鹰愁涧边，见到瀑布奔腾，水声如雷。师徒二人正感叹间，忽然一条龙蹿出来就要吃唐僧，孙悟空连忙抱起师父，可唐僧的白马却被那龙一口吞了。

此龙，便是西海龙王敖闰之子玉龙三太子，后来给唐僧当了脚力，变成白马，于是也被人称作白龙马。

前文我们已提及观音一路东来寻访强大的妖魔做取经人的弟子。观音一共收编了四位，按先后顺序分别是沙僧、八戒、玉龙、孙悟空。前文已细讲了沙僧、八戒、孙悟空或被贬或被罚的原因，却没有细讲这玉龙三太子犯事的原因。

只因，这玉龙三太子犯事原因看似简简单单、明明白白，其实隐藏得极深。

观音与玉龙三太子初次相见时是怎样一个情形呢?

当时，观音在半空中飞行，忽然听到上方传来阵阵呼唤救命之声。观音见是一条龙（玉龙），就动了心思，上前询问：“你是何龙，在此受罪?”

这龙说：“我是西海龙王敖闰之子，因纵火烧了殿上明珠，我父王表奏天庭，告了忤逆。玉皇大帝把我吊在空中，打了三百，不日遭诛。望菩萨搭救搭救。”

原来，玉龙三太子犯下的罪名竟是十恶不赦之罪。具体罪行，是纵火烧了大殿上的明珠。

我们对比一下古代十恶不赦罪名，看看玉龙三太子犯了哪一条或哪几条。

所谓十恶不赦之罪，一是谋反，企图推翻朝廷；二是谋大逆，毁坏皇室的庙宇、陵墓、宫殿；三是谋叛，背叛朝廷；四是恶逆，殴打或谋杀祖父母、父母、叔伯等；五是不道，指杀一家非死罪三人以上及肢解人；六是大不敬，盗窃、毁坏皇家用品；七是不孝，不孝顺祖父母、父母；八是不睦，谋杀亲属，女子殴打、控告丈夫；九是不义，上下级之间、师生之间、夫妻之间互相谋害；十是内乱，亲属之间有强奸或通奸行为。

沙僧因为打碎了琉璃盏而受到严惩。琉璃盏可能非常珍贵，或者是属于玉皇大帝所用的皇家酒器。如果是这样，沙僧打碎杯子，就是犯了大不敬之罪。不过，沙僧强调自己是失手，于是免除了死刑。而玉龙三太子承认自己是纵火，也就是主观故意损毁大殿上的龙珠。

这大殿，当是龙宫大殿。若是灵霄宝殿，也轮不到西海龙王表奏玉皇大帝请罪。这龙宫大殿上的明珠绝非普通明珠。按照传统神话的说法，明珠来自何处？明珠产自神龙，在神龙的脖子下面。

我们看原文：“菩萨上前，把那小龙的项下明珠摘了，将杨柳枝蘸出甘露，往他身上拂了一拂，吹口仙气，喝声叫：‘变!’那龙即变做他原来的马匹毛片。”

这明珠或者说龙珠，乃是神龙一身灵气凝结。有此明珠在，神龙灵力充沛，用之不竭。那大殿上的明珠，可能是西海龙王的明珠，也可能是上古龙神的明珠。而玉龙口中的“烧”字，未必就是烧毁的意思，而极有可能是用真火炼化之意。

但无论如何，毁坏龙宫大殿、谋夺明珠已经犯下谋大逆之罪。

按照常理，孩子即便犯错，做父母的也多会包容。所谓“虎毒不食子”，为何西海龙王偏偏下狠手，不但不隐瞒，反倒主动禀奏玉皇大帝，必要置儿子于死地？

这足以说明，西海龙王敖闰和这第三个儿子的关系已经糟糕到无法挽回、水火不容的地步。

在怎样的情况下，父亲才可能狠心杀掉儿子呢？只有在儿子想要杀掉父亲的情况下。

莫非玉龙三太子想要通过炼化明珠，获得强大神通，杀掉父亲西海龙王，从而成为新一代龙神？

玉龙三太子真的是这么一个残酷无情的龙吗？从以后白龙马的表现看，他的人品应该不至于如此低劣。三太子之所以背上谋大逆，甚至恶逆的罪名，应该与其大哥西海龙王大太子摩昂有着密切关系。

摩昂太子在取经路上一共出现了两次。一次是在黑水河鼍龙（西海龙王外甥）作怪，拿了唐僧时，孙悟空得水神指点，来西海龙宫兴师问罪，西海龙王惶恐，派摩昂领兵擒拿鼍龙。一次是在孙悟空擒拿犀牛精时，犀牛精来到西海，想求老朋友西海龙王庇护，西海龙王却让摩昂太子发兵，帮助孙悟空擒拿了犀牛精。

在这两次冲突中，西海龙王敖闰展现在读者面前的，是一个胆怯多疑、贪恋权位、丝毫不顾及亲情的角色。一听外甥抓了唐僧，他立刻惊慌失措，派儿子带领军队灭杀。老朋友来投，他既不收留，也不为人家说情，同样派儿子灭杀。

大太子摩昂呢？更是一个心计深沉、城府极深、老辣狠毒的主。

在西海龙宫，孙悟空见敖闰态度恭顺，已经表态，只要鼍龙把自己师父放了，就既往不咎。

摩昂对鼍龙的态度却很奇怪，简直就是把表弟往火坑里推。两龙见面，摩昂太子先是好一顿训斥，说鼍龙胆大包天，闯下大祸。如今孙悟空找到父王，要追究他们父子“结连妖邪，抢夺人口之罪”。并告诉鼍龙，若送回唐僧，在他求情下，或许还有活命机会，否则只有死路一条。

那鼍龙本来兴冲冲请舅父同吃唐僧肉，以表孝心，听到大表哥完全倒向孙悟空那边，大怒：“我与你嫡亲的姑表，你倒反护他人？”摩昂主动出手，几十个回合大战，双方不分胜负。摩昂够奸猾，卖一个破绽，在鼍龙右胳膊上狠狠打了一锏。鼍龙落败，被捆绑起来。

两龙去见孙悟空。孙悟空想到这鼍龙命苦，从小就没了父亲（泾河龙王），后来又没了母亲，孤苦伶仃，训斥了一顿说：“我待要打你这一棒，奈何老孙这棒子甚重，略打打儿就了了性命。你将我师父安在何处哩？”只要能救出唐僧，孙悟空并不想要这鼍龙性命。可摩昂太子怎么说？

他说：“大圣，这厮是个逆怪，他极奸诈，若放了他，恐生恶念。”摩昂根本就是要把表弟置于死地。后来猪八戒被释放，见到鼍龙，冲上去就要打。孙悟空还拉住八戒说：“兄弟，且饶他死罪罢，看敖闰贤父子之情。”

摩昂太子辞行时说：“虽大圣饶了他死罪，家父决不饶他活罪，定有发落处置，仍回复大圣谢罪。”孙悟空已三次表态不追究，可摩昂太子依然要严惩表弟。

为什么呢？因为这表弟是姑妈最小的儿子，平日得西海龙王敖闰宠溺。别的龙都是有了正式编制后，才分配到某河当龙王。可这小表弟，修行还没结束，敖闰就把他放到黑水河。说是让鼍龙在这里修身养性，其实就是提前把黑水河水神的职务给了他。鼍龙把水神赶走，占了洞府一事，西海龙王早就知道，可是，根本不追究。

龙神，并非不死之身。即便修炼到神级，那也有陨落之时。而且，能力的大小、关系的亲疏，直接决定分配职务的好坏。像西海龙王的妹夫泾河龙王，在帝都长安当河神，常年四季供奉不断，是个绝对的肥缺。

鼍龙年龄尚小，其实力就已经不俗，最多不过略逊摩昂太子一筹。百十年后，鼍龙将会成长到何等地步？会不会威胁到摩昂的地位呢？摩昂要在对手还在萌芽时，就一击灭杀。

摩昂对表弟如此冷漠，对自己的同胞兄弟呢？

在黑水河擒拿表弟时，摩昂和孙悟空一行人在一起大半天，客客气气拜见了唐僧，问候了八戒、沙僧（以前都是天庭高层），却既没有见自己兄弟，也没有一句话提及，就仿佛三弟不在取经队伍中一般。若说玉龙三太子忤逆父亲，西海龙王不愿见三儿子，还说得过去。为何这个摩昂也不愿意见三弟呢？

莫非他们本就是冤家？莫非玉龙的忤逆罪名是摩昂一手制造？

从摩昂对待表弟的行为可以看出，他对于有能力的兄弟很仇视，会想方设法将其除掉。原著中没有提西海龙王二太子，想必是比较平庸的龙。玉龙三太子不一样，他虽只是老三，可是能力出众。他和孙悟空初次见面，交战了多时才落败，实力可以说很强。估计其战斗力还在摩昂之上。

而且，玉龙三太子对观音虽亲口承认纵火，却又喊救命，为什么？因为他不服，他觉得自己是被冤屈的。

一个最可能接近真相的猜测是，摩昂太子假意和三弟玉龙亲近，告诉三弟，炼化大殿明珠，就可以超越凡龙，成就大道。玉龙信以为真。可正在炼化时，大哥摩昂带着父亲西海龙王出现。摩昂举报三弟玉龙，意图夺取明珠，图谋不轨。西海龙王一见大怒，认定老三忤逆，于是禀奏玉皇大帝，要把儿子斩首。

第五十五节　白龙变马

严格来说，取经团队应当是五人组。许多时候，白龙马（即玉龙三太子，俗称小白龙）经常被大家忽略。

这个忽略，不能怪旁人，只能说白龙马的地位和孙悟空、猪八戒、沙和尚三人并不平等。

从收徒的顺序来说，唐僧第一个收孙悟空，猴哥做大师兄毫无争议。可是，明明第二个收的是白龙马，第三个被收的猪八戒却做了二师兄。等到后来沙和尚加入，白龙马的位置再次被挤，老沙成了三师兄。

为何白龙马受到如此不公的待遇呢？

只因白龙马并不是唐僧的徒弟，他只是唐僧的脚力——坐骑。这个坐骑，只能算是唐僧的仆从。仆从和弟子之间的地位，当然不能等同。

不过，白龙马的加入，同样有着非凡的意义。

前文分析过，取经团队师徒四人各自代表不同的仙界力量。唐僧乃金蝉子转世，代表着佛派，主要是如来、观音。孙悟空、猪八戒乃太上老君弟子，代表着道派，尤其是太上老君。沙和尚乃玉皇大帝侍卫统领，代表着天庭，主要是玉皇大帝。

那么，白龙马呢？他代表着谁？

要想弄清楚这一点，我们首先要摸清白龙马的背景。

白龙马的背景，在书中写得相当明白。

观音从灵山东来，一路上收了沙僧和八戒，然后看到小白龙主动叫唤，于是近前询问。然后，观音搭救了小白龙。

玉皇大帝当时依照律法判处小白龙鞭打三百，几天后就要将其斩首。乍一看，小白龙能遇上观音，化龙成马，重新获得仙界编制，真是很幸运。

只是，白龙马遇上观音，真的是一个偶然吗？

表面上看，观音收取经人徒弟，只是从灵山到东土半云半雾地走了一趟，仿佛只是偶然撞见了孙悟空三兄弟。其实，西去路上妖魔多了去了。神通广大、可堪大用的妖怪还有很多，比如说牛魔王、黑熊精等，观音为何不招收他们做徒弟？

观音的神通虽然强大，却无法保证被招收的妖怪有足够的诚心。取经大业乃是关乎佛派兴衰的大事，绝对不能出现大的纰漏。像牛魔王，势力极大，且逍遥自在，他何必要苦哈哈加入取经团队，给人当徒弟呢？

于是，精心布置一些局，让一些神通广大的妖怪犯下滔天大罪，然后观音以救世主的身份出现，施以援手。自然，被救者感激涕零，对加入取经团队也心怀感恩。

其中，小白龙的罪行就耐人寻味。

就算小白龙曾经火烧明珠，但是，俗话说“虎毒不食子”，又说“家丑不可外扬”，西海龙王不傻，小白龙若真的犯下弑父大罪，他完全可以悄悄弄死儿子，根本没有必要上告天庭，闹得三界皆知。让大家都知道自己养了一个忤逆的儿子，西海龙王的面子不是丢得更大？

一个最接近真相的猜测是：小白龙从被抓到化为白马，都是一个局。

谁在布这个局呢？单单西海龙王还不够，应当是四海龙王家族与观音联手布的局。

在人间，神通最大的仙人是五方五老。那么，仅次于五方五老的势力是什么呢？

仙界还有“六元”“七司”“八极”等，但那些仙人都是天上星宿，都是天庭的仙官。在人间，仅次于五方五老的，当属四海龙王家族。

原本，四海龙王仅仅是管辖东西南北四方大海。但是，龙族擅长繁衍，随着时间的推移，家族子弟逐渐遍布四大部洲各个地方。在《西游记》黑水河故事中，西海龙王就介绍到他的妹夫泾河龙王的九个儿子，除了老末小鼍龙，个个都有天庭编制，大半都是人间水神。

因此，四海龙王的神通虽然不大，其势力却极为强大。

如来要通过取经行动扫清沿途妖魔，这妖魔盘踞的地方，主要是在西牛贺洲。唐僧从长安出发，在两界山遇上寅将军（虎精），在鹰愁涧遇上小白龙，在黑风山遇到黑熊精，在高老庄遇到猪八戒，在黄风岭遇上黄风怪，在流沙河遇上沙和尚。以上，都是在南赡部洲。再往前，就是四圣试禅心，这就进入了西牛贺洲地界。

这西牛贺洲，是如来管辖的地界。在唐僧师徒这场大除妖行动中，四海龙王家族，尤其是西海龙王一家，做出了重要贡献。

先不说四海龙王经常帮助孙悟空求雨，单西海龙王一家就出场多次，比如说派出大太子摩昂率军降伏黑水河小鼍龙，比如说派摩昂率军围堵犀牛精。可以说，在三界诸神中，为配合取经，出场最多、最为辛苦的就是西海龙王家族。

四海龙王家族为何如此劳心劳力？难道纯粹是帮忙？当然不是。他们也是在为自己家族打拼。他们做出了贡献，就等于为小白龙积攒下了功德。

正是因为考虑到取经主要经过西牛贺洲，于是，观音才和四海龙王商量好，安排四海龙王中西海龙王的一个儿子加入取经队伍。为何不让大太子摩昂加入呢？这是因为摩昂是长子，是要继承西海龙王家业的。

应该说，四海龙王家族的这次参与，获得的回报很丰厚。若小白龙不参加取经，只可能是某条河的水神。取经成功后，小白龙则被封为八部天龙广力菩萨，成为佛派罗汉。

当然，小白龙参与取经是需要一个理由的。于是，当孙悟空状告小白龙吃掉唐僧马匹时，观音说："你想那东土来的凡马，怎历得这万水千山？怎到得那灵山佛地？须是得这个龙马，方才去得。"

那么，白龙马的战斗力究竟如何呢？

第五十六节　龙马战力

原著中，白龙马正式出手有两次，一次是对阵孙悟空，一次是对阵黄袍怪（二十八宿之一的奎木狼）。两次战斗中，白龙马都有不俗表现。

因为吃了唐僧的马，小白龙被孙悟空堵着门骂。小白龙恼了，冲出来高喊："是哪个敢在这里海口伤吾？"从此话可见，小白龙在过往的交手经验中，应该是极少落败，甚至从不落败。若不是一个单挑时少有败绩的人，不可能如此自信满满。

小白龙以龙形真身与孙悟空大战。原文中特别提到"那个须下明珠喷彩雾"，这龙脖子下面的明珠，绝对是个增强功力的奇宝。

书中说"来来往往，战罢多时，盘旋良久，那条龙力软筋麻，不能抵敌"。小白龙打不过孙悟空，这一点是肯定的。只是，两人交手一共是多少回合呢？书中没有说。但从"战罢多时"看，应该是十余个回合。

孙悟空回来面对唐僧，是这么复述的："他与我赌斗多时，怯战而走。"孙悟空亲口承认，小白龙与他打了很久。那小白龙为何落败呢？因为孙悟空力大棒沉。唐僧听了什么反应呢？他说：“你前日打虎时，曾说有降龙伏虎的手段。今日如何便不能降他？”若非孙悟空打了足够长的时间，唐僧没了耐心，应当不至于说这等伤人自尊的话。

孙悟空恼怒，又去鹰愁涧上用金箍棒搅水。小白龙又出来了，书中写“斗不数合，小龙委实难搪”，于是变个小蛇，钻入地洞中再也不出来了。只因战斗时间隔得太近，小白龙的臂膀都还是酸麻的，所以打了几个回合就跑了。

在取经路上，唐僧遭遇了许多次灾难，经常是孙悟空与猪八戒去打妖怪，沙僧留下来看着师父。结果十有八九是妖怪一来，唐僧就被掳走。沙僧的护卫能力，几乎可以无视。不但沙僧不卖力，连白龙马也不出手。按照道理，白龙马也是取经团队的一员，为何要眼睁睁看着唐僧被妖怪抢走呢？

因为观音在招募小白龙的时候，就明白告诉他：只等取经人来，变做白马，上西方立功。

严格来说，唐僧的徒弟只是三个人：孙悟空、猪悟能、沙悟净。虽然白龙马也称呼唐僧为师父，但其实两人并没有明确的师徒关系。白龙马的使命，不是降妖捉怪，而是当个白马，当个脚力。完成这一点，白龙马就是完成了行动，就可以得到正果。

经历了生死劫难的白龙马，做事情也已经不再冲动，而是沉稳有加，三思而行。

那么，为何在黄袍怪一难中，白龙马又出手了呢？

黄袍怪来到宝象国时，把唐僧变成了老虎。白龙马听到消息，很着急。原文说："我师父分明是个好人，必然被怪把他变做虎精，害了师父。怎的好，怎的好？大师兄去得久了，八戒、沙僧又无音信！我今若不救唐僧，这功果休矣，休矣！"

我们品味白龙马心中所想，有以下两个意思。

其一，眼前的形势相当严峻。师父被变成虎精，生命危在旦夕。可是，专职负责降妖伏魔的孙悟空不在了，顶替的八戒、沙僧又没有消息，很可能已经落入敌手。

其二，一旦唐僧被害，取经任务就失败了。那么，白龙马超越凡龙、成就正果金身的愿望就成了泡影。

在这样的情况下，白龙马不得不选择出手。

那白龙马和黄袍怪交手的情况如何呢？

白龙马现出真龙之身与黄袍怪在云端中大战了八九回合，就抵挡不住。书中写了原因：老魔身强力壮，小龙手软筋麻。看来白龙马最大的弱点，还是力量不足。白龙马想要用飞刀突袭，反被黄袍怪一刀砍中，伤了后腿。

此前，白龙马和孙悟空都能够大战多时，为何此次和黄袍怪只打了八九个回合呢？莫非黄袍怪比孙悟空厉害？

书中写得明明白白，那黄袍怪本就是大闹天宫时被孙悟空打怕了的神将，正面交手也不过强撑了五六十个回合。也就是说，黄袍怪根本不是孙悟空的对手。

那么，白龙马为何只能和黄袍怪打八九个回合呢？因为在鹰愁涧化为白马时，观音菩萨把他项下的明珠给摘走了。没有明珠灵气的补充，白龙马的实力大打折扣。

综合来看，白龙马在取经团队中实力最弱，但是放眼三界龙族，白龙马又算是强者中的强者。

第五十七节　观音赐宝

孙悟空与小白龙连续两场狠斗，把小白龙打得骨软筋麻，缩在鹰愁涧不敢冒头。

后来，金头揭谛请来了观音菩萨。观音菩萨到来，顿时祥云瑞霭一片。三四十位护法神连同唐僧，跪了一片。

孙悟空却跳上云头，劈面大骂观音："你这个七佛之师，慈悲的教主！你怎么生方法儿害我！"

孙悟空为何要骂观音呢？

因为观音害了他。

观音怎么害了他呢？

在第十四回中提到，观音变成一个老婆婆来见唐僧，送给唐僧一套漂亮的衣服。其中，帽子上就藏有如来传下的金箍。观音又传给唐僧一篇《紧箍咒》。等孙悟空回来，唐僧骗孙悟空穿戴上藏有金箍的帽子，然后念起《紧箍咒》，让孙悟空痛不欲生。

当猜到送出金箍的是观音时，孙悟空就大叫说要打到南海落伽山去。唐僧说，《紧箍咒》是观音所传，观音当然也会。因此，孙悟空才忍下一口恶气。

一晃，孙悟空陪着唐僧走了两个月，来到鹰愁涧，这才见到观音。一见面，上千年来横行无忌的孙悟空，立刻爆发了。

在《西游记》中，观音是一副温柔婉约的淑女模样。面对孙悟空的愤怒，观音是如何反应呢？

从来温柔婉约的观音竟然大变脸，她说：“我把你这个大胆的马流，村愚的赤尻（所谓马流、赤尻都是一种猴子，在花果山就有马流、赤尻四健将。不少地方也将马流、赤尻作为猴子的代名词）！我倒再三尽意，度得个取经人来，叮咛教他救你性命。你怎么不来谢我活命之恩，反来与我嚷闹？”

观音的第一句话说得很霸气，宋明时期许多话本小说中都这么骂人，责备意味十足。之后，观音强调了自己对孙悟空的恩情。

见观音大变脸，自知技不如人的孙悟空急忙解释自己为何生气。观音也恢复了一贯的笑容。

观音说：“你这猴子！你不遵教令，不受正果，若不如此拘系你，你又诳上欺天，知甚好歹！再似从前撞出祸来，有谁收管？须是得这个魔头，你才肯入我瑜伽之门路哩！”

观音强调，给孙悟空套上金箍，是为孙悟空好。若是没有金箍，难保孙悟空不闯出大祸。有了金箍，彼此才放心。

听观音如此解释，孙悟空也泄了气。

只是孙悟空依然不甘心。他总是觉得自己被套上金箍是吃了亏。当观音要走时，孙悟空拉住观音不让走，竟然耍起无赖来。

孙悟空说：“我不去了，我不去了！西方路这等崎岖，保这个凡僧，几时得到？似这等多磨多折，老孙的性命也难全，如何成得什么功果！我不去了，我不去了！”

听孙悟空说不去了，观音不禁皱起了眉头。在她为唐僧收取的三个徒弟中，孙悟空毫无疑问是武艺最高强的一个。若孙悟空不肯尽心尽力，那取经绝难成功。

此前，因是用骗术哄得孙悟空戴上金箍，所以此刻孙悟空以撂挑子作为威胁，让观音很为难。

在这种情况下，观音不得不给了孙悟空两个甜头。

一个甜头是虚的：“假若到了那伤身苦磨之处，我许你叫天天应，叫地地灵。十分再到那难脱之际，我也亲来救你。”

一个甜头是实的：“你过来，我再赠你一般本事。”菩萨将杨柳叶儿摘下三个，放在行者的脑后，喝声：“变!”即变做三根救命的毫毛。

虽然被套上金箍让孙悟空有些郁闷，但也总算挣回了点好处。于是，孙悟空这才松开手，放观音离去。

第五十八节　毫毛作用

观音给的三根救命毫毛一直陪伴着孙悟空，历尽无数苦难艰辛。

观音的玉净瓶、杨柳枝就如同太上老君的芭蕉扇、金刚琢一样，乃是标志性法宝。这三根救命毫毛，乃是杨柳枝上的三片柳叶所化，极为珍贵。

这毫毛也被观音和孙悟空视若珍宝。

后来因受红孩儿所困，孙悟空前往南海求援。观音说自己的玉净瓶之水可以浇灭红孩儿的三昧真火，但是她还有事情，不想出门，又不放心把玉净瓶借给孙悟空。于是观音提出，孙悟空必须拿出一样宝贝做抵押，才能借走玉净瓶。

孙悟空说，行，我头上的金箍儿是个宝贝，你就把它收走吧。观音笑骂猴子滑头，说："我也不要你的衣服、铁棒、金箍，只将你那脑后救命的毫毛拔一根与我作当罢。"

其实，确保取经行动成功，就是观音最大、最重要的任务。观音之所以刁难孙悟空，真实想法就是想用这个借口把柳叶拿回来。

当时的孙悟空虽然从没有使用过救命毫毛，但是深知救命毫毛的宝贵。他连连摆手说："这毫毛，也是你老人家与我的。但恐拔下一根，就拆破群了，又不能救我性命。"孙悟空的意思是，你老人家已经把救命毫毛送给我啦，怎么能好意思讨回呢？万一我遇到危险、影响取经怎么办呢？

见孙悟空不情愿，观音就没有再提，结果什么也没要，就跟孙悟空去抓红孩儿去了。

那么，这观音和孙悟空都视如珍宝的救命毫毛，到底有什么作用呢？

在整部《西游记》中，三根救命毫毛使用过一次，仅仅是一次。不过，就这一次，已经展露出救命毫毛强大的效力。

狮驼洞中，孙悟空因暴露行踪被投入阴阳二气瓶中。那瓶子很古怪，一旦瓶中人开口说话，就升腾起无穷火焰。最初，孙悟空掐避火诀坐在火中，丝毫不惧。可是一个小时后，忽然火焰变化，从四方钻出四十条火蛇、三条火龙来。这火蛇、火龙上下盘旋，炙烤孙悟空全身。孙悟空要降伏火蛇、火龙，就无法全力捏避火诀，不一会儿小腿竟然都给烧软了。

孙悟空想尽办法不得逃出，不禁流泪。这时他忽然想起观音送出的救命毫毛。原文说：

“即伸手浑身摸了一把，只见脑后有三根毫毛，十分挺硬，忽喜道：‘身上毛都如彼软熟，只此三根如此硬枪，必然是救我命的。’即便咬着牙，忍着疼，拔下毛，吹口仙气，叫：‘变!’一根即变作金刚钻，一根变作竹片，一根变作绵绳。扳张篾片弓儿，牵着那钻，照瓶底下飕飕的一顿钻，钻成一个眼孔，透进光亮。才变化出身，那瓶复荫凉了。”

孙悟空虽然号称拥有金刚不坏之体，但并非全身真的金刚不坏。他必须在运用法力护体的情况下，才可以发挥出金刚不坏的功效。这也是猴哥在火焰山被山火烧掉屁股上的毫毛，在毒敌山被琵琶精刺破头皮的原因。

在瓶中，孙悟空因为要抓火蛇、火龙，无法一直保持法力护体状态。在没有避火诀加持的情况下，孙悟空八成会陨灭在这阴阳二气瓶中。

在这场生死危机中，救命毫毛确实救了孙悟空一命。

那么，救命毫毛展现了哪些功能呢？

其一，耐火。

在妖火炙烤中，孙悟空全身的毫毛都软了，唯独救命毫毛依然坚挺。作者用了一个词“硬枪”。“硬枪”，此处做形容词使用，可解释为如枪般坚硬。

救命毫毛为何在烈火中如此坚硬？

因为它本是观音菩萨杨柳枝上的柳叶，蕴含了丰沛的生命力。

在五庄观故事中，观音菩萨提到太上老君和她赌斗，把杨柳枝放入八卦炉中煅烧。虽然杨柳枝被八卦炉烤得焦干，可是放入玉净瓶中滋养后，竟然一昼夜就恢复如初。

很多人以为是观音玉净瓶中的神水救活了人参果树，其实不然。

在红孩儿故事中提到，观音的玉净瓶中装的其实就是普通的水（五湖四海之水）。真正恢复人参果树生机的，是杨柳枝。只要沾染了杨柳枝上的强大生机，寻常的水也变成了可以复活仙木的神水。

正因为杨柳枝蕴含强大生机，这柳叶化成的救命毫毛才会在妖火中岿然不倒。

其二，打洞。

在阴阳二气瓶中，孙悟空必然用金箍棒去打、去钻，可是毫无效用。最终，还是那三根救命毫毛变化成打钻三件套，成功救出了孙悟空。

从此可见，救命毫毛的硬度竟然还在金箍棒之上。

有读者对孙悟空一次就使用三根毫毛不大理解：猴哥完全可以只拔一根毫毛变成金刚钻啊！

其实，孙悟空变成的东西，是古代打钻的三件套——弓、绳、钻头，三者缺一不可。钻孔的时候拉动篾片弓，绳子带动钻头，一小会儿，就钻出一个孔了。

我再举个例子，证明这救命毫毛坚硬。在一般情况下，孙悟空拔毫毛都非常随意，经常从尾巴上、腿上、手臂上随手一抓，一抓就是一大把。孙悟空会痛吗？书中写了，这毫毛可以随孙悟空心意变化，拔得再多，也不会痛。

但是，在拔救命毫毛时，孙悟空是怎样一个表情？他是“忍着疼，咬着牙”，才把救命毫毛拔了下来。

孙悟空的脑袋号称铜头铁脑，乃全身最坚硬的地方，这三根救命毫毛竟然能刺破孙悟空脑袋，深深扎根。

可见这救命毫毛有多么坚硬！

当初观音菩萨送出救命毫毛的时候，对这毫毛好一番夸赞。她说：“若到那无济无主的时节，可以随机应变，救得你急苦之灾。”

在观音看来，柳叶极为珍贵，轻易不可使用。她希望孙悟空唯有在毫无办法又无法求助的情况下，才能使用。并且，观音自信满满地提出，任何情况下，只要使用出这救命毫毛，就一定可以救孙悟空摆脱困厄。

若这救命毫毛只有耐火、打洞两大功效，与观音口中的神奇，距离就太遥远了。

只是在书中这救命毫毛一直没有机会展现它那神奇的功效。

其实，救命毫毛最大的功效绝不是耐火，更不是打洞。那是什么呢？

是起死回生，是救命。

柳叶属木，不耐火烧。阴阳二气瓶之妖火却无法烧动柳叶所化之救命毫毛。只因柳叶中蕴含的生机异常庞大，令妖火根本无法撼动。太上老君以八卦炉煅烧柳树枝时，虽然将柳树枝烧焦，但是柳树枝中的生机犹在，因此能一昼夜后立刻恢复。

也就是说，如果孙悟空受伤，饮用以救命毫毛浸泡过的水，当可以迅速恢复。即便孙悟空受到了危及性命的重创，也可以直接服下救命毫毛（柳叶）。以柳叶强大的生机，当可起死回生，救孙悟空一命。

救命毫毛并非一次性法宝，它乃柳叶所化，生机充沛，必然可以反复使用。原文也说："好大圣，收了毫毛。"作者特意提到孙悟空在使用了一次救命毫毛后，立刻收起，重新放好。

相信孙悟空在取经成功、法力更强后，对救命毫毛的理解会更加深刻。在以后的人生中，救命毫毛必将再次展现神奇的效用，救孙悟空于危难之中。

第五十九节　最狂山神

山神、土地在西游世界中的地位都很卑微。按照天庭规矩，人间地面每隔十里设置一山神、一土地，管理方圆百里的百姓，级别相当于村长。那么，西游世界最狂的山神是谁呢？

是南海观音菩萨所在的落伽山山神。

西游世界的变化之术，只改变了仙人的外在形态，并不能无中生有。像小白龙吞吃唐僧白马的时候，连带鞍鞯一起吃掉了，所以等小白龙变成白马后，就没有鞍鞯可用。没有鞍鞯的马，叫作刬马。平路还好，但像唐僧取经需要登山渡水，没有鞍鞯，骑马非常不方便。

唐僧师徒勉强行走，到黄昏时来到一家庙宇前。里面出来一个老人，自称西番哈密国里社祠的庙祝，见唐僧来借宿，热情接待，管吃管住。

唐僧是师父，在厅堂高坐。孙悟空是徒弟，牵着马去后院，准备去喂马。因为没有鞍鞯，不好拴马，孙悟空一直想找一条合适的绳子。忽然见院子房檐下有一条挂衣服的绳子，孙悟空也不打招呼，一把扯断了，把白龙马的脚系住——白龙马是小白龙所化，自然不会偷跑，可是，既然变成了马，当然就必须接受做马的待遇。

孙悟空扯断一条绳子纯属小事，只是不巧，被主人家看到了。若这主人大度，假装没看见，一切也就过去了。偏偏这主人也是一个狂傲的人，竟然笑着说："这马是那里偷来的?"

孙悟空一生中，有两件痛恨的事情。一件是被人叫作"弼马温"。给玉皇大帝养马，是孙悟空的奇耻大辱。另一件就是被人称为"小偷"。大闹天宫时，孙悟空偷吃蟠桃、盗取仙酒，确实做了小偷的勾当。可是，他许自己做，不许他人说，尤其是不许本领不如自己的人说。

此刻，一凡间老人竟然嘲笑自己是小偷，孙悟空大怒。可是，主人家亲眼见到孙悟空偷绳子，可谓人赃俱获，孙悟空也无法抵赖。孙悟空只好说："你那老头子，说话不知高低！我们是拜佛的圣僧，又会偷马?”孙悟空不提自己是齐天大圣，一来因为凡人不知道自己，二来也因齐天大圣几乎就是“小偷”的代名词，此时不好提。孙悟空就按照观音菩萨的吩咐，只说自己是取经人。既然自己能够加入取经团队，成为去西天拜佛的圣僧，那品行自然是端正的。

可是，那老人竟然不依不饶，说：“不是偷的，如何没有鞍辔缰绳，却来扯断我晒衣的索子?”

被老人如此羞辱，孙悟空顿时就要暴走。幸亏厅堂中唐僧听到争吵，急忙出来看。他一把扯住孙悟空，连忙向老人道歉，解释为何马匹没有鞍鞯。听到唐僧介绍，老人提出，自己不但不怪罪，而且愿意拿出自己珍藏的一副鞍鞯，送给取经的圣僧。

老人的这一番话，引起了孙悟空的怀疑。大约就在这个时候，孙悟空使用了火眼金睛观看，分辨出了对方其实不是凡人。

孙悟空的火眼金睛乃是一种神通，必须要运用法力凝神观看，才可以发挥作用。在正常状态下，孙悟空也无法分辨眼前的人与场景是幻是真。

这老人到底是谁呢?

在第二天送了鞍鞯后，唐僧连忙叩拜。老人跳在半空，介绍自己来历说：“圣僧，多简慢你。我是落伽山山神，蒙菩萨差送鞍辔与汝等的。汝等可努力西行，却莫一时怠慢。”

观音菩萨也挺操心的。在中午时分亲自到鹰愁涧收服了小白龙，当时她就发现了白马没有鞍鞯，可是她当时手头上也没有鞍鞯。于是，她悄然不言，转身离开。等回到落伽山后，她立刻命令落伽山山神带着一副鞍鞯，送给唐僧。

以孙悟空筋斗云的速度，去一趟落伽山都需要半个时辰，更不要说这寻常山神了。估计这山神一接到任务，就匆忙出发，这才勉强赶到入夜之前，在山林中幻化了一座庙宇，等候唐僧师徒。

观音分派给落伽山山神的这个任务，本来没有任何难度，可这山神偏偏自寻烦恼，惹出许多纷乱。

当晚，唐僧因有望得到鞍鞯，欢喜无限。可孙悟空呢？在第二天清早，就去找唐僧说："师父，那庙祝老儿，昨晚许我们鞍辔，问他要，不要饶他。"等到鞍鞯到手，唐僧躬身叩拜，孙悟空却昂然站立。唐僧斥责，孙悟空反驳说："像他这个藏头露尾的，本该打他一顿，只为看菩萨面上，饶他打尽彀了，他还敢受我老孙之拜？"

那山神辛辛苦苦出了趟差，绞尽脑汁送出了鞍鞯，却不料换来的，是孙悟空的一腔怒火。

这一切只因老人那一顿嘲笑。这落伽山山神为何敢嘲笑孙悟空呢？

原因也不难猜。山神的神通虽然低微，可在落伽山山神看来，他此次下山，乃是奉观音法旨，前来犒劳取经团队，自觉在唐僧、孙悟空面前不能掉价。更何况，孙悟空虽然以前很牛，可如今不过是取经人唐僧的徒弟。于是，山神化身的老人可以和唐僧同桌喝茶，而孙悟空却只能在一边站着。

那山神万万没有想到，取经团队中真正的灵魂人物，不是唐僧，而是眼前矮小的猴子。而且观音送出鞍鞯的一个重要的原因，也是想安抚安抚孙悟空。

因骗孙悟空套上金箍儿，孙悟空差点和观音翻脸。观音好说歹说，总算哄得孙悟空遵守承诺。唐僧责成孙悟空找寻鞍辔，孙悟空也答应到前方寻找。于是，观音想悟空之所想，特意命人送来鞍辔。

没想到落伽山山神把一桩缓和关系的美事，硬是办成了施舍示恩的糟心事，惹得孙悟空很不高兴。

此后不久，观音招募了黑熊精充当守山大神，原落伽山山神估计靠边站了。

第六十节　唐僧拜仙

唐僧见到的第一个神仙是观音菩萨。当观音显露本相时，唐僧、唐太宗等现场所有人齐齐跪拜。从长安出发后，唐僧遇到的第一个神仙是太白金星。老太白从寅将军口中救出了唐僧，临别时留下帖子点明身份，唐僧立刻磕头拜谢。在哈密国境内，落伽山山神送来鞍辔，临走时也挑明身份。山神本是仙界中地位卑微之仙，唐僧见了，是怎样的态度呢?

原文说："慌得个三藏滚鞍下马，望空礼拜道：'弟子肉眼凡胎，不识尊神尊面，望乞恕罪。烦转达菩萨，深蒙恩佑。'你看他只管朝天磕头，也不计其数。"

唐僧乃如来二弟子金蝉子第十世转世，更是如来钦定、观音选择的取经人。有这样两重身份的唐僧，在仙界的地位很是不凡。

《西游记》原著中对金蝉子的修为和地位没有正面描述，但从如来身边的亲随弟子阿傩、伽叶可以推知，金蝉子在世时差不多也应该位列菩萨。

太白金星是九曜之一，同时又是天庭文官领袖，背后更是道祖太上老君。孙悟空面对六元之首的南极星君（寿星），一口一个寿星老弟，但面对太白金星，却总是恭恭敬敬。

可以说，就算是金蝉子在世，对二人也要执晚辈之礼。

但这落伽山山神再牛，也不过是一介山神，唐僧为啥要对他磕头行礼，还不计其数呢？

并且，唐僧不仅仅是在此处，以后几乎每次见到神仙，无论大到天尊高手，小到山神、土地，都一律跪拜，毫无圣僧架子。

是唐僧太窝囊，还是唐僧很愚蠢？

正相反，唐僧既不窝囊，也不愚蠢，反倒称得上聪明睿智。逢仙必拜，乃是唐僧多番思考后作出的最佳选择。

大家看唐僧对落伽山山神说的那两句话，颇有味道。

其一，“弟子肉眼凡胎，不识尊神尊面，望乞恕罪”。

面对落伽山山神所化之老人，唐僧毫无失礼之处，为何他要道歉呢？

其实，唐僧不是为自己道歉，而是为徒弟孙悟空道歉。

因为偷绳子事件，孙悟空与山神闹得很不愉快。落伽山山神是奉了观音的命令前来送鞍辔。所谓“不看僧面看佛面”，就算山神空手而来，那也是代表观音，更何况人家还送来了取经团队最为急需的鞍辔。

孙悟空对山神出言不逊，态度高傲，必然伤了山神的自尊心。若那山神有事没事在观音面前诋毁孙悟空，离间观音与取经团队的感情，那唐僧的日子也不好过。

其二，“烦转达菩萨，深蒙恩佑”。

唐僧说得明白，他看似在对落伽山山神磕头谢恩，其实谢的是山神背后的观音。

观音想唐僧师徒之所想，特意命人送来鞍鞯，足以体现对他们的关怀。可孙悟空出言不逊，竟然得罪了山神。得罪山神事小，得罪观音事大。正因如此，唐僧才会对山神磕头无数，甚至山神走远了，也依然磕头不已。

唐僧为何如此小心谨慎？

唐僧虽然是大唐取经的圣僧，虽然在到达灵山后有可能成佛，可是在当下，唐僧毕竟还只是凡人一枚。

为人处世，切不可好高骛远，也不能妄自菲薄，时刻知道自己当下所处的位置，作出最佳的定位，才是最好的处世之道。

取经路上唐僧为何逢仙必拜？因为每个出场的仙人背后，都有一股强大的势力。取经行动乃是玉皇大帝钦定的大行动，能够偶尔客串、露个脸的，那都是背景深厚的主儿。

唐僧很好地利用了金蝉子的背景和取经人的身份，虽然一路跪拜，貌似掉价，却为自己积累了强大的人气。

天庭的不少仙人，在齐天大圣孙悟空面前都很强势，可是在唐僧面前，无人不是一口一个“圣僧”地叫着。这面子，要靠自己挣，更要靠别人给。